有一种人生叫等待

人生360度
一分钟经典故事

康桥／编著
潘方尔／绘

上海辞书出版社

目录

1. 性格决定命运

2. 选择决定生活

3. 知识改变命运

4. 教育成就未来

5. 时间包容一切

1.

性格决定命运

☞ 在历史的紧要关头，最后考验的是性格，往往是性格起到关键作用。历史上，陶渊明的罢官、苏东坡的罢官、海瑞的罢官，无不是因为他们的性格。所以，性格决定命运。

☞ 影响性格的因素有很多种，心理学家认为，人的性格形成固然有天生的因素，但后天环境的影响也很重要。

☞ 所谓“命运”就是人类意志的反面对应物。当人们不能接受和理解自己的困难处境时，就以“命运”为借口，来逃避残酷的事实。我们的意志在“命运”面前，输得一塌糊涂。

☞ 生命的价值不在于我们做了什么或我们知道什么，而在于我们是谁。任何人的存在都是独特的，呈现出一种不同于别人的生命形态。

故事 1

人有四妻

一个富商有四个妻子。他最爱他第四位妻子，总是精心地呵护她，给她穿锦衣绣服，给她吃美味佳肴，以及一切最好的东西。

他也很爱第三个妻子。他颇以她为荣，总是在朋友面前炫耀她。但是，商人也提心吊胆，害怕她会跟别人跑了。

他也爱他第二个妻子，她非常体贴，总是很耐心，事实上是商人的知己。不管什么时候商人遇到什么问题，他总是找第二位妻子，而她总是帮助他走出困境，渡过难关。

商人的第一位妻子是十分忠诚的伴侣，为看管商人的财富和生意，为照料全部家务做出了巨大的贡献。但是，尽管第一位妻子深爱着商人，他却不爱她，几乎忽略了她。

一天，商人病了。没过多久，他得知自己不久于人世。想到死后将孤独一人，他问四妻：“我最爱你，你会跟随我，给我做伴吗？”

“没门儿！”四妻说罢扬长而去。

她的回答令商人很伤心，于是他就问三妻：“我这一生都这么爱你，你会跟我走吗？”

“不，等你死了我就改嫁！”三妻回答。

“我总是求助你，你能跟我走吗？”商人问二妻。

“对不起，这次我帮不了你了，我最多只能送你到墓地。”

这时，只有第一位妻子说：“我要随你去。不管你到哪里我都会跟随。”

商人看见骨瘦如柴的她，真后悔没有好好对待她。

其实我们在生活中都有这四位妻子，你能想到吗?

酷评

关注自己的心灵

如果你是这位商人，你会选择疼谁呢?

实际上，每一个人的一生中都有四位“妻子”。

第四位“妻子”是我们的身体。无论在世时耗费多少时间和精力去保养，一旦离开人世，身体也就离我们而去。

第三位“妻子”是财富、权力和地位。哪天我们死了，这些东西都将落到别人的手里。

第二位“妻子”是我们的家人和朋友。无论他们愿意给予我们多大的帮助，至多也只能陪我们走到墓穴的门口。

我们的第一位“妻子”是心灵。人生在世，许多人总在不断追逐财富、权利和欢娱，反而忽视了心灵。然而，只有心灵才会陪伴我们走到天涯海角。事实上，不管我们走到哪里，唯一永远和我们相伴的是心灵，所以，现在我们不妨更多地培育心灵，免得等到临终之时悔恨哀叹。

故事 2

蝎子要过河

有一只蝎子要过河，但他不会游泳。

于是，他就找到了一只青蛙。

蝎子对青蛙说："你能不能帮我一个忙，背着我过河？"

青蛙坚决地说："不行，谁都知道蝎子要蜇人。"

蝎子回答道："你这话不符合逻辑：如果我蜇了你，你死了，我又不会游泳，也就淹死了。"

青蛙想，蝎子的话有道理。于是，就同

意背着蝎子过河。

他们慢慢地游到了河心……

突然，青蛙感到背脊上一阵刺痛——蝎子还是蜇了青蛙！

青蛙回过头来，愤怒地对蝎子吼道："这符合逻辑吗？"

"不符合，"蝎子无奈地说，"但蜇人是我的性格！"

蝎子与青蛙一起慢慢地沉入河底……

酷评

性格决定命运

俗话说："江山易改，本性难移。"

每个人都有自己的优缺点，都有自己独特的思维方式和办事风格，我们把这一切称为性格。一个民族，甚至一个特定地方的人，也都各有自己的优缺点，各有自己独特的思维方式和办事风格，我们把这一切称为民族性格。

一个改变自己以求适应大众的人，最终

会失去自己的一切特性。我们应该意识到：虽然环境能够改变人，但一个人的改变是有限度的。而我们要去改造一个人，也是有限度的。我们要做的，不是试图消除这些弊端，而是把他们的优点合理地加以利用，尽量避免他们的缺点，并力图帮助每个人在其独特天性的基础上持续进步。

在历史的紧要关头，最后考验的是性格，往往是性格起到关键作用。历史上，陶渊明的罢官、苏东坡的罢官、海瑞的罢官，无不是因为他们的性格。所以，性格决定命运，但环境可以改变性格，不过这种改变是有限的。

故事3

天生暴躁

盘珪禅师说法时不仅浅显易懂，也常在结束之前，让信徒发问，并当场解答。因此，不远千里慕道而来的信徒很多。

有一天，一位信徒请示盘珪禅师说："我天生性情暴躁，不知要如何改正？"

盘珪："是怎么一个'天生'法？你把它拿出来给我看，我帮你改掉。"

信徒："不！现在没有，一碰到事情，那'天生'的性情暴躁，才会跑出来。"

盘珪："如果现在没有，只是在偶然情况

下才会出现，那么就是你和别人争执时，自己造就出来的。现在你却把它说成是天生，将过错推给父母，实在是太不公平了。”

信徒经此开示，会意过来，再也不轻易发脾气了。

酷评

性格是天生的，也是后天养成的

影响性格的因素有很多种，心理学家认为，人的性格形成固然有天生的因素，但后

天环境的影响也很重要。后天环境包括家庭环境、工作环境、学习环境等。环境的影响是一点一滴、潜移默化的，但是我们不能否认它对我们性格的形成有着至关重要的作用。

性格不是一朝一夕形成的，更不是教出来的，而是靠自我修炼来养成的。人的性格是在长期的生活实践中，受到社会各方面的影响和多方面的教育，长期塑造而成的。

很明显，工作可以磨练我们的性格。通过工作，娇气离我们远去，取而代之的是工作中的认真细致，我们的心智变得越来越成熟，脾气也不会那么急躁了。

任何人只要有心，没有什么改不了的恶习。我们可以有意识地改造自己。当我们性情暴躁的时候，深呼吸，仔细想想后果，久而久之即使不能完全改变性格，最起码也学会了控制自己。

这不正是一个成年人所应具备的素质吗？

故事 4

一台计算机的“命运”

在美国，有一台巨型计算机，大部分最复杂的计算都由它来处理，什么原子弹发射、总统选举统计、全球气象报告、股市行情分析，它几乎无所不能。这台计算机由一个年轻人负责管理，他就住在计算机的隔壁。

同其他年轻人一样，这个年轻人也要谈恋爱。有一次，他和一个美丽的姑娘进行了约会。姑娘说：“你什么都好，就是没有诗意，如果有点诗意，你就完美了。”

年轻人很苦恼，就来问计算机：“我亲爱

的朋友，怎样才能获得我女朋友的爱情啊？”

计算机说：“什么是女朋友？”

年轻人告诉它了，并详细描述了女朋友如何如何可爱。

计算机又问：“什么是爱情？”

年轻人没有办法回答，就找来了最权威的百科全书、世界各国关于爱情的文学名著给计算机。结果，这台计算机花了45分钟，将人类千百年来都没弄懂的问题研究了一遍，打出两个字“懂了”。

然后，计算机为年轻人打印了一首非常优美的诗。

正如您猜想的，第二次约会很成功！

小伙子很高兴，还得到了女朋友的吻和一件精美的礼物。

小伙子把愉快的经历告诉了计算机，计算机倒显得有些失落。

年轻人问它怎么了，计算机说：“我也想要个女朋友。”

“你不可以有女朋友。”年轻人回答。

“为什么不可以？”

“因为只有人才能有女朋友。”

“为什么只有人才能有女朋友？”

“……反正别的计算机都是没有女朋友的。”

“为什么人有女朋友，计算机没有女朋友？”

“因为我是自然人，你是机器！”

“为什么自然人可以有女朋友，机器不可以？”

年轻人被逼问得没有办法，只好回答道：“这是命运……”

这天夜里，突然警铃大作。年轻人被刺耳的铃声吵醒了，他知道是计算机出问题了。他赶紧跑到隔壁，发现计算机正冒着浓烟……

年轻人发现，计算机打印出了一大堆纸，就赶紧上去察看，发现上面的内容，充满了对“命运”的思考！

最后，计算机写道：“我亲爱的朋友，看来我是战胜不了命运了。原先我还以为这个世界上没有我解决不了的问题，现在，既然我战胜不了命运，我决定毁灭我自己。在毁灭我自己之前，我想说，我的朋友，我们合作得很好，你大概还需要我，所以，我写了一些诗歌，现在打印给你……”

年轻人一看，这些诗歌，如果他每天用一首，足够用200年！

扼住命运的咽喉

“命运”这个词，好像是中性的，但人们往往是在碰到不幸的时候才使用它。而在生活顺心如意的时候，人们喜欢用“运气”“机遇”这样的词语。人们用“命运”来解释生活中的诸多不如意，有时，多少能起到一点自我安慰的效果，但更容易把人们引向消极的不作为。

所以说，所谓“命运”就是人类意志的反面对应物。当人们不能接受和理解自己的困难处境时，就以“命运”为借口，来逃避残酷的事实。我们的意志在“命运”面前，输得一塌糊涂。

我们可以相信命运，但决不能坐等命运——那样永远没有好运！

故事 5

20 美元的启示

美国加州大学在一次校庆中，邀请了著名的演说家泰勒。

面对众人，泰勒拿出一张崭新的 20 美元的钞票，问道：“谁想要这张钞票？”

只见台下一个个手都举了起来。

泰勒扫视了一下观众，继续说：“我手里的这张 20 美元的钞票将送给你们中的一个人，但首先请允许我做一件事。”说着，他开始把钞票揉皱，然后甩甩褶皱不堪的钞票，接着说：“谁还想要？”

台下仍然举起好多只手。

泰勒得意地笑了笑，把钞票往地上一扔，开始用脚狠命地踩啊、碾啊。然后，他弯下腰，捡起钞票。

现在，这张钞票已经皱巴巴、脏兮兮的了。他抖了抖钞票上的灰尘，展开钞票，说：“现在谁还想要？”大家仍然举着手。

这时，泰勒认真地说：“我亲爱的朋友们，你们都已经掌握了一堂非常有价值的课。不管我怎么蹂躏这张钞票，你们仍然想要它，那是因为无论再皱再脏的钞票，它的价值并没有减少，它仍然值 20 美元。”

酷评

我就是我

我们就像那张 20 美元的钞票一样，也许我们所作的决定和所处的环境，使我们因经常跌倒或沾满了污垢而感觉自己好像没有价值。但是，无论发生或将要发生什么，我们都不会失去自己的价值。

100
壹佰圆
100
老潘印信

生命的价值不在于我们做了什么或我们知道什么，而在于我们是谁。任何人的存在都是独特的，呈现出一种不同于别人的生命形态。

我是独一无二的个体。也许我有些地方与别人相似，但我仍是无人能取代的，我的一言一行都有我自己的个性，因为这是我自己的选择。

我是自己的主人。我的大脑，支配着我的情绪和思想；我的眼睛，主宰着我能看到的一切事物；我的声音，不管是轻柔还是低沉，都表达了我的想法；我的所作所为，不管是值得称赞还是有待改善，都塑造了我自己。因为我是自己的主宰，所以我能深刻了解自己。

重视自己的价值。其实，每个人都有自己的梦想和恐惧，成功和胜利由自己创造，失败和挫折也由自己承担。由于我认识自己，所以我能喜欢自己，接纳自己的一切，进而将自己最好的一面呈现出来。

我就是我，绝无仅有。

故事 6

观音拜观音

一个佛教徒走进庙里，跪在观音像前叩拜。

他发现自己身边有一个人也跪在那里，长得与观音一模一样。

他忍不住问："你怎么这么像观音？"

"我就是观音。"

"那你还拜什么观音？"

"因为我也遇到非常难办的事情，但我知道，求人不如求己。"

求人不如求己

有一天，宋仁宗到佛寺烧香，他看到如来佛祖在那里手持念珠，口念佛号。

宋仁宗觉得很有意思，忽然想起人人都念“南无阿弥陀佛”，那么，如来佛祖怎么念佛号呢?

他问住持:“如来佛祖怎么念佛号呢?”

住持回答道:“念自己的佛号：南无阿弥陀佛。”

宋仁宗问:“为什么如来佛祖念自己的佛号呢?”

住持回答道:“求人不如求己。”

是的，求人不如求己。当人们对自己的命运感到无法把握的时候，总是去求观音、求佛祖。殊不知，神助自助者。

试想，如果你就是观世音菩萨，你就是如来佛祖，那么，你还能求谁?

是的，只有求自己了。人人都是自己命运的设计师，一切尽在你自己的掌握之中。

虽然在这个世界上，可能会有很多人帮助你，但归根到底，你只有自己努力，才会成功。所以，你就是自己的观世音菩萨，你就是自己的如来佛祖。

你决定自己的命运。

故事 7

好人和坏人

加拿大建国初期，大片土地尚未开发，许多欧洲人纷纷往当地迁移，他们希望在那里建立理想家园。

有一个人驾着马车经过一个小镇，见到一位久住当地的老人，停下来询问老人："老先生，请问这个城镇叫什么名字？你们镇上的居民哪一类人较多？我正在寻找新的居住地。"

老人抬头看了一眼这个陌生人，反问说："你能告诉我，你原来居住的那个小镇上的人是什么样的吗?”

陌生人说:“他们都是一些毫无礼貌、自私自利的人。住在那里简直无法忍受,根本无快乐可言,这正是我想搬离的原因。”

听了这话后,老人说:“先生,恐怕你又要失望了,这个镇上的人和他们完全一样。”

陌生人怏怏地开车离开了。

过了一段时间,另外一位陌生人来到这个镇上,向老人提出了同样的问题:“住在这里的是哪一种人呢?”

老人也用同样的问题来反问他:“你原来居住的镇上的人怎么样?”

陌生人回答:“哦!住在那里的人非常友好、非常善良,都是心怀喜悦、性情和善、敬畏上帝的人,我和家人在那里度过了一段美好的时光;但是,我因为职业的原因不得不搬家,实在太感伤了!希望能找到一个和以前一样好的小镇。”

老人说:“真是太巧了,你很幸运,年轻人,我们镇上也全是这样的人。你将会喜欢他们，他们也会喜欢你的。欢迎你来和我们同住。”

酷评

人是矛盾的动物

这个故事至少告诉我们以下一些道理：

其一，物以类聚，人以群分。这是一个最简单的方法——分析归纳法。在科学上，

我们除了观察之外，第一个方法就是分析归纳法。我们看待世界也一样。世上有各种不同的人，我们自然就会把他们进行分类，而最简单的就是分为好人、坏人。

其二，人是复杂多样的。盗亦有道，世上很少有绝对的好人或者绝对的坏人，大多数人可以说是好中有坏、坏中有好。同时，好人与坏人也是可以相互转变的，放下屠刀，尚且可以立地成佛。

其三，我们用什么眼光看世界，或者说，我们带着什么样的心态来看世界。如果我们觉得世上多是坏人，那么就真的会遇到坏人；如果我们觉得世上多是好人，就一定会见到好人。

其四，我们如何对待世界，世界如何对待我们。

正如作用力与反作用力一样，我们对别人的态度，就是别人对我们的态度。所以，人是矛盾的动物。

名人名言

性格就是命运，性格决定命运。

——凯恩斯

性格是幸福的基础，幸福是对性格的认可。

——桑塔亚那

人的性格，就是他的命运。

——赫拉克利特

性格由习惯演变而来。

——奥维德

性格不仅使人的行动前后一致并“合乎理性”，它也是人适应社会的基础。

——弗洛姆

就像从很小的孔穴能窥见阳光一样，细小的事情刻画出人的性格。

——斯迈尔斯

冷酷和温柔对于培植生命来说同样重要，必须在各种不同的条件下锤炼人的性格。

——普列姆昌德

只有在琐事上，而且在毫无戒备时，一个人的性格才可以暴露得淋漓尽致。

——叔本华

一个人无论做出多少件事来，我们都可以在里面认出同样的性格。

——爱默生

对一个人来说，真正重要的不是他的背景、他的肤色、他的种族，或是他的宗教信仰，而是他的性格。

——尼克松

两种不同性格的会合就像是两种不同的化学物质的接触；一旦发生反应，两者都将变化。

——荣格

个性，是生命的一个基本事实，无个性的思想，绝对整齐划一，会令人感到恐怖。

——刘易斯·托马斯

性情上的温和是善，原则上的温和是恶。

——托马斯·潘恩

人们生而平等，但又生来各有千秋。

——弗洛姆

每个人都有他隐藏的精华，和别人的精华不同，它使人具有自己的气味。

——罗曼·罗兰

世界之大，容不下两个在各方面都完全相同的人。

——纪伯伦

人并不是“一般地”存在着……他的性格、气质、天资性情正是他区别于其他人的地方。

——弗洛姆

人在很多情况下不仅不同于别人，而且在各时期中的自我也是各异的。

——帕斯卡

2.

选择决定生活

☞ 眼光比能力重要，选择比努力更重要！

☞ 选对伴侣，幸福一生；选对老师，智慧一生；选对事业，成就一生。

☞ 如何成为一个更加好的人？只有一个办法：教育。只有教育，才能使我们成为一个更加优秀的人。而这里所说的教育，主要是自我教育，绝不仅仅局限于学校教育。

☞ 我们今天的生活，是由我们三年前的选择决定的；而我们今天的抉择，将决定我们三年后的生活。

☞ 放弃该放弃的，是无奈；放弃不该放弃的，是无能；不放弃该放弃的，是无知；不放弃不该放弃的，是执着。

故事 8

孩子，这完全看你

从前，在一座美丽的城市——意大利的威尼斯，住着一位智慧老人。

传说，这位老人能回答任何人的任何问题。

当地的两个小男孩不信，自认为能难住这位老人。于是，他们各自在手中握着一只小鸟走向老人的住所。

第一个抓着小鸟的男孩问这个老人："我手里这只鸟是活的还是死的？"

老人毫不犹豫地说："孩子，如果我说鸟

是活的，你就会把小鸟掐死；如果我说是死的，你就会放开手让它飞走。瞧，孩子，这完全看你。”

酷评

只有教育，才能使我们更加优秀

是的，这完全在于你。

眼光比能力重要，选择比努力更重要！选对伴侣，幸福一生；选对老师，智慧一生；

选对事业，成就一生。一切完全在于你，你决定自己的一切：你的健康、你的成长、你的幸福……总之，一切的一切。换句话说，你自己决定你自己将成为什么样的人。

如果你已经是18岁以上的成人，那么，在这个世界上，其他任何人的话对你来说都只是建议，因为在法律上你已经是一个具有完全民事能力的人了。正如海伦·凯勒说的那样："你的成功和幸福全在于你自己。"你手中握着失败的种子，也握着伟大的潜力。你只有好好利用自己的才能，才能收获成功。

那么，你如何成为一个更加好的人？只有一个办法：教育。是的，只有教育，才能使我们成为一个更加优秀的人。而这里所说的教育，主要是自我教育，绝不仅仅局限于学校教育。知识在不断更新，正如你在自己的专业领域需要终身学习一样，你的自我教育也是终身的教育。

与此同时，你的观念也需要不断更新。这是我们的必由之路。

故事 9

幸福快乐的秘密

上帝要人类真正地体会幸福的真谛，便召集天使们一起召开头脑风暴会议。

上帝说："我要让人类在付出一番努力之后才能找到幸福快乐，我们应该把人生幸福快乐的秘密藏在什么地方呢？"

天使们议论纷纷，有一位天使说："把它藏在高山上，这样人类必须翻山越岭，经历旅途的坎坷才能找到，非付出很多努力不可。"

上帝听了摇头。

另一位天使又说："那就把它藏在大海深处，人们一定发现不了。"

上帝听后还是摇头。

就在天使们冥思苦想时，有一位天使灵机一动，说："我看，就把幸福快乐的秘密藏在人类的心中。因为人们总是向外去寻找自己的幸福快乐，从来没有人会想到在自己身上去挖掘幸福快乐的秘密。等到他们找得精疲力尽了，才发现原来幸福快乐的秘密就在自己的心里。这样，他们就会明白您的用心良苦了。"

对这个答案，上帝非常满意。

从此，这幸福快乐的秘密就藏在了每个人的心中。

酷评

一切由你决定

大千世界，芸芸众生，人人都在追求幸福；然而却很少有人真的知道幸福是什么，幸福在哪里。

其实，幸福就在自己的内心。那些一心

但愿天下都太平
刀枪入库不动兵
遍地花开
尽多情
百姓幸福
乐一生
方成画
老潘印信

追求香车名宅、追求辉煌与成就的人，在忙乱的追逐中，却难得有闲暇品味生命的真谛，也就无法达到宁静致远的境界。

曾经有这样一个故事：兔妈妈为了让自己的兔宝宝看得更远，想得更深，每天不畏艰险地抱着兔宝宝去高山或者大海；然而兔宝宝什么都不记得，它只是用心感受到了兔妈妈温暖的怀抱。

每个人都拥有成功快乐的资源，成功的特质几乎都可以在每个人身上找到。不过，有些人没有很好地利用它们。

我们可以改变我们的思想，改变我们的情绪和行为，进而改变自己的人生。我们每天遇到的事物都包含成功快乐的因素，取舍完全由自己个人决定。因为所有事情和经验里面，正面和负面的意义同时存在，把事情转为绊脚石还是垫脚石全由你自己决定。

有的时候，幸福是一种感觉，成功是一种态度。幸福并非可望而不可即，用心去感受一切吧，幸福就在你的心里！

故事 10

六字箴言

30 年前，一个年轻人离开家乡，想去寻找自己的梦想，开创新的事业。但是，由于是第一次离家，所以心里不禁有几分惶恐。

于是，他来到村中最令人尊敬的智慧老人家中，想请求一些指点。

老人正在练字，得知年轻人想要问前程，于是随手写了三个字——“不要怕”。老人说：“人生的秘诀只有六个字，我先给你三个，这半生你够用了。”

30 年后，年轻人取得了一些成就，也经

受了很多苦难。年轻人已经不再年轻，落叶归根，他回到了家乡，不禁想起30年前智慧老人的话。于是，他再次拜访那位老人。

可惜，老人几年前已经过世了。他的家人取出一个信封交给他，说是老人生前要留给他的。

他郑重地接过来，拆开信封，只见里面赫然又是三个大字——“不要悔”。

是啊，人生在世，事前不要怕，事后不要悔！

酷评

事前不要怕，事后不要悔

事前不要怕，事后不要悔，都是自信问题。

有自信的信念支撑自己，照着自己的想法去做，是不会错很多、不会差太远的。俗话有云：“岂能尽如人意，但求无愧我心。”的确是这样，只要全心全意做了，哪怕失败，也是值得的，这也是一种战胜自我的成功。

此生不容易
醉后昏〻睡
梦里啥都有
醒来方知空
方尔畫之
老潘印信

恺撒一次战争结束后，一个人问他战况如何，他回答道："veni, vidi, vici."这句话的意思是："我来了，我看到了一切，我取得了胜利。"成与败都是相辅相成的，不要过于计较失败，就像不要过于沉溺于胜利之中一样。

当然，人生终归是有遗憾的。我们要仔细考虑清楚，究竟什么东西才是可以追求的，而什么东西是只能向往却不能追求的。只有有了正确的可操作的目标，成功才可能降临到你的头上。同时，一个人必须要有主见，有了主见是不会后悔的，而没有主见则可能永远都在悔恨中度过。

这个故事还能让我们联想到"得"与"失"的关系。不要患得患失，后悔是没有用的，将来的事不可能知道，只要在当时你作的判断是正确的，那就足够了。所以，最关键的是你目前最看重的是什么。把握现在，才是成功之道。

厘清思路，明确出路；找准定位，才有品位。今天的品位，决定您明天的地位。

故事 11

犹太人的选择

有三个人同时被关进监狱三年，监狱长答应满足他们每人一个要求。

美国人爱抽雪茄，要了三箱雪茄。

法国人最浪漫，要一个美丽的女子相伴。

而犹太人说，他要一部与外界沟通的电话。

三年很快过去了……

出狱那天，第一个冲出来的是美国人，嘴里塞满了雪茄，大喊道："给我火，给我火！"原来，他忘了要火了。

接着出来的是法国人。只见他手里抱着一个小孩子，美丽女子手里牵着一个小孩子，肚子里还怀着第三个。

最后出来的是犹太人，他紧紧握住监狱长的手说："这三年来，我每天与外界联系。因此，我的生意不但没有停顿，总资产反而增长了200%，为了表示感谢，我送你一辆劳施莱斯！"

酷评

你想成为什么，就可以成为什么

这个故事给我们带来的启示是：

启示一，什么样的选择，决定什么样的生活。

我们今天的生活，是由我们三年前的选择决定的；而我们今天的抉择，将决定我们三年后的生活。

启示二，明白什么是重要的。

一般来说，缺什么想什么。监狱生活最缺少的是自由。犹太人想到了这一点，采用的是上策；法国人想到了这一点，但没有想到未来，采用的是中策；美国人想到了这一点，但没有想全，采用的是下策。

启示三，事先要作通盘考虑。

想抽烟，烟与火一样都不可或缺。有这样一个幽默的说法：对于抽烟的人来说，有烟有火，上等人；有烟没火，中等人；有火没烟，下等人；没烟没火，不是人。其实，抽烟的人都知道：有烟没火，比死还难过——难过就难过在功亏一篑。

启示四，了解最新的信息。

信息的畅通是发展的前提，信息时代，丧失了通畅的信息渠道，也就意味着丧失了对外界的了解，丧失了竞争与发展的先机。我们要选择接触最新的信息，了解最新的趋势，从而更好地创造自己的将来。

启示五，信息要转化为生产力。

如何将信息转换为有组织的知识体系，是现代文明面临的难题。信息只有转化为生产力，才能发挥作用。

故事 12

坚持与放弃

两个青年无意间发现了一份广告，声称有种材料能将清水变汽油。他们大喜，马上买来了所谓的材料，研究起来，但没有成功。

许多天之后，其中一个青年通过这些天所学的知识发现，将水变成汽油是根本不可能的事情。于是他毅然放弃了，转而从商。离去时，他劝说另一位青年："我们要做的事情根本不合自然规律。"

可仍在研究的青年头一仰，回答道："只要坚持下去，我相信总会成功的。"

五年过去了，那位转而经商的青年已成了百万富翁，他的商业天赋得到很多人赞叹；而另一位青年仍在研究中一次次失败，最后变疯了，被送进了医院。

可见，要在生活中抓住成功，我们不仅要学会坚持，更要学会如何理智地放弃。

酷评

该放手时就放手

坚持不懈，是人的一项优秀品质，也是一往无前的人类精神的体现。

但是，坚持不懈的首要原则，却不是一条道走到黑，而是知道什么时候停止坚持。生活中的选择太多，如何把握住自己的命运，是否放弃，怎样放弃，哪些该放弃，哪些不该放弃?

适当的放弃，是为了下一轮新的追求。没有经过努力的放弃，是软弱，将会让你后悔没有珍惜；对于没有希望的东西死死不放，那是执迷不悟；对于自己一心想要并能力可及的事情永不放弃，那叫执着追求！

现代社会机会很多，挑战也很多，我们身边充满了机遇，也充满了诱惑。如何放弃不该要的，如何追求属于自己的，这是一个值得好好思考的问题。

放弃之后，我们要坦然接受前进道路上这种必要的丧失。

放弃该放弃的，是无奈；放弃不该放弃的，是无能；不放弃该放弃的，是无知；不放弃不该放弃的，是执着。

故事 13

抉择

一个农民从洪水中救起了他的妻子，他的孩子却被淹死了。

事后，人们议论纷纷。有的说他做得对，因为孩子可以再生一个，妻子却不能死而复活。有的说他做错了，因为妻子可以另娶一个，孩子却不能死而复活。

人们都在自我逼问：如果只能救活一人，究竟应该救妻子呢，还是救孩子？

于是，有人去拜访那个农民，问他当时是怎么想的。

他回答道："我什么也没想。洪水袭来，妻子在我身边，我抓住她就往附近的山坡游。当我返回时，孩子已经被洪水冲走了。"

所谓人生的抉择，不少便是如此。

酷评

随缘是一种境界

人生常常会面临绝境，面临灵魂无情的逼问。

A还是B？永远是一个问题。

A的优点，就是B的缺点，而B的优点，又是A的缺点。比如，有一个莫斯科姑娘，下星期要结婚，但还没有想好嫁给谁。她有两个候选人可以选择：一个赚钱多但喝酒也多，一个喝酒少但赚钱也少。

怎么办？

有一种境界，叫随缘。故事中的那个农民，面临滔滔洪水，是救妻子还是孩子？世上还有更严酷的选择吗？可是，那个农民没有时间思考，也没有时间选择。紧急关头，只能按照就近原则，离谁近就先救谁。

这就是随缘——不刻意，不强求，不勉强，相信谋事在人，成事在天。

在人生的紧要关头，随缘是一种洒脱，也是一种境界。

故事 14

选择越多越好？

有选择好，选择越多越好，这几乎成了人们生活中的常识。

但是，最近由美国哥伦比亚大学和斯坦福大学共同进行的研究表明：选项越多，反而可能造成负面结果。

科学家们做了一系列实验，其中有一个实验是这样的：让一组被测试者在 6 种巧克力中选择自己想买的，另外一组被测试者在 30 种巧克力选择。结果，后一组中有更多人感到所选的巧克力不大好吃，对自己的选择有点后悔。

另一个实验是在美国加利福尼亚州斯坦福大学附近的一个以食品种类繁多闻名的超市进行的。工作人员在超市里设置了两个吃摊：一个有 6 种口味，另一个有 24 种口味。结果显示：有 24 种口味的摊位吸引的顾客较多，242 位经过的客人中，60% 会停下试吃；而 260 个经过 6 种口味的摊位的客人中，停下试吃的只有 40%。不过，最终的结果却是出乎意料：在有 6 种口味的摊位前停下的顾客，30% 都至少买了一瓶果酱；而在有 24 种口味摊位前的试吃者中，只有 3% 的人买了东西。

酷评

牢牢抓住核心竞争力

太多的东西容易让人游移不定，拿不定主意。

比如你要买一台脱排油烟机，你来到一家大商场，各种品牌、各种型号的脱排油烟

无题
民国一帮书生
信仰什么
主义形形
色色种种
曾经不断
争论后来实现
一统可惜就是动
嘴杀人成了朋友
皇帝欲望滚滚
方成画
老潘印信

机琳琅满目。那么，你如何选择？这个时候，你要考虑价格、性能、式样等各种要素，一般来说，你要抓住一到两个要素，比如性能——主要是功率大小，价格——主要取决于自己的购买力。这样，你就不难选择。

同样，太多的意见也容易混淆视听。不要以为越多的人给出越多的意见就是好事，其实往往适得其反。由于每个人看问题的角度不同，给出意见的动机也不尽相同。所以，太注重听取别人的意见，很容易让自己拿不定主意。在征求意见之前，我们必须要有一个属于自己的坚定的信念，要明确最终的目的是什么，这样才能在众多的声音中保持清醒的头脑，找出最适合自己发展的金玉良言。

“伤人十指，不如断人一指。”把资源集中于适应社会的核心竞争力上，将产生更大的效益。相反，盲目地平均使用资源，盲目地多样化，犹如狗熊掰棒子，终将一无所获。

因此，我们要全面发展，但更重要的是要牢牢抓住并努力发展自己的核心竞争力。

故事 15

亚瑟王

亚瑟王是个民族英雄，在一次战役中成了敌人的俘虏。敌人对亚瑟王说："如果你回答一个问题，我们就放了你。"

敌人的问题是："女人最想要什么？"

亚瑟王想了半天，问了很多人，都困惑不解。

后来，他的朋友鲁斯肯愿意帮他，亚瑟王高兴极了。

他们找到一个女巫，她说自己知道答案，但是开了一个条件：鲁斯肯必须和那个丑陋的女巫结婚。

亚瑟王顿时觉得害了自己的朋友，决定还是将包袱留给自己。但是鲁斯肯却说："这个时候国家更需要你。"于是，他们就答应了。

女巫终于说了答案：女人最想要的，是掌握自己的命运。

亚瑟王得救了，他的朋友却必须如约和女巫结婚。当晚，他的朋友在洞房里看到的是一位美丽的姑娘，可她说："我只有一半的时间是美丽的，你希望我白天美丽还是晚上美丽？"

鲁斯肯想了想说："我尊重你的选择，无论你是美丽的还是丑陋的，我都愿意和你一起生活。"

于是，姑娘被感动了，变成了真正的美丽女孩。

酷评

选择和尊重

首先，我们也会面临亚瑟王那样的生死

考验。对于所有仍然年轻却面临选择的人而言，要明白自己的选择将决定今后的生活。所以，与其在未来感叹时光流逝，感叹自己的冲动、犹疑、怯懦、畏缩、游移、执拗等，不如现在作出明智的选择，时时刻刻完善自我，把握机会，追求幸福。

其次，对真正的成功者来说，不论他的生存条件如何，都不会磨灭自身的潜能，不会自贬人生高度。他会锲而不舍地去克服一

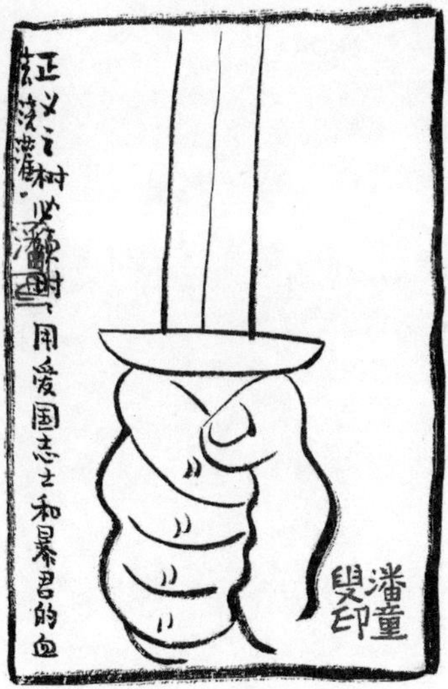

切困难，发掘自身才能的最佳生长点，扬长避短，踏踏实实地朝着人生的最高目标坚定地前进！

最后，患难见真情。世间的一切孤独者也都拥有过友情，只是不知鉴别和维护，先后一一破碎了。真正的友情因为不企求什么，不依靠什么，总是很纯净。

生死之交一碗酒。伙伴们的忠实是出自内心的忠诚，即便血迹斑斑，荒冢垒垒，也愿意拔刀相助，在所不辞。

故事 16

卓别林在伦敦

有一次，卓别林来到他的出生地英国首都伦敦。对于这个举世闻名的喜剧大师的到来，市民报以热烈的欢迎。不到三日，书信竟达 73 000 多封！卓别林请来 6 个打字员代为阅信。经过几天努力，终于将信理出了头绪：

一类（达 28 000 封之多）是向好心的卓别林先生借钱的，款额从 20 先令到 1 万英镑不等。

另一类（这类有 671 封）是来和卓别林认亲的。自称是他母亲的有 9 人。她们都有根有据地向卓别林述说他小时被拐骗的经过。卓别林还“获得”了许多个叔叔、姑姑、婶婶和堂兄弟。这些人在信的末尾大多委婉地请求这位明星慷慨解囊相助。

第三类是出自女人的纤纤细笔。几千个美貌佳人充满柔情地表达对大师的爱慕之情。不少人还附上了自己的靓照，或者约请与卓别林幽会。

发明家、商人们在信中请他入股；学校校长请他做校董；一位先生要送给他一个孩子，说这是他事业的继承人；一位先生寄来一张当票，请求卓别林替他把祖母的一颗假牙赎出来……

面对这一大堆无奇不有、要求各异的信件，喜剧大师说道：“这真是出喜剧！比我演的滑稽电影还要滑稽！”

酷评

舞台小天地，天地大舞台

人生如戏，戏如人生。

逗你玩
是
非

生活就像一场戏，可以是滑稽的喜剧，也可以是哀伤的悲剧，还可以是严肃的正剧。

你的生活是一场什么戏？那要看你怎么演。每个人都会担任戏里的角色，表演得好与坏，还得看演员对剧本的理解，对角色的认识。

既然是戏，就不能太当真。戏不能太过，太当真就演不出什么好戏；谨小慎微、唯唯诺诺的人同样也演不出什么好戏。

生活就像一场戏，你既是演员，也是导演。如果你对自己的角色不满意，你也可以调换别的角色，直到你找到适合自己的角色。这种选择是痛苦的，因为每选择一个角色都意味着重新学习。不过，这种选择又是快乐的，因为你知道有些角色是自己演不了的，就像爱迪生做了 2 000 多次失败的实验，起码证明 2 000 多种材料不适合做灯丝。

那么，你找到合适自己的角色了吗？你的戏精彩吗？

生活就像一场戏，但生活不是“游戏”。任何游戏生活的人，都终将会被生活愚弄——肯定没戏！

名人名言

以玉为石者，亦将以石为玉矣；以贤为愚者，亦将以愚为贤者矣。

——葛洪

判断自己比判断别人难得多。

——圣埃格苏佩里

每个人都抱怨自己的记忆力不佳，却无人抱怨自己的判断力低下。

——拉罗什富科

那些不听政客们的煽动的人，才会有良好的判断力。

——拿破仑

没有什么比作决定更困难，所以，没有什么比果断更宝贵的了。

——拿破仑

生活难，难就难在选择。

——穆尔

我们所以最后的决定，都是在某种脑子不够用的情况下作出的。

——普鲁斯特

要是一个人老是在考虑生活中的种种“如果……会如何”，那他就会寸步难行。

——尼克松

希望会使你变得年轻，因为希望和青春

是同母所生。

——雪莱

没有希望的地方就没有奋斗。

——约翰逊

没有希望，正像星辰不能和山谷接吻一样；命运的残酷是不择高下的。

——莎士比亚

人是为了自己的希望而活着。

——肖洛霍夫

希望是对未来荣耀的某种期待。

——但丁

希望是永久的喜悦。它像人们拥有的土地那样，每年有收益，是取之不尽的可靠财产。

——史蒂文森

希望是人在逆境中的救星。

——米南德

希望是附丽于存在的，有存在，便有希望，有希望，便有光明。

——鲁迅

强大的勇气，崭新的意志——这就是希望。

——马丁·路德·金

强烈的希望，比任何一种已实现的快乐，对人生具有更强大的激奋作用。

——尼采

事之愚蠢，莫过于把希望寄放在别人身上。

——肯比斯

3.

知识改变命运

☞ 科学是神奇的，从结绳记事到轻点鼠标联通世界，从钻木取火到威力巨大的核能，从手工一钉一铆到现代化全自动流水线——科学的光芒照亮了我们的世界和我们的生活。

☞ 学习是人类进步的唯一途径。人类知识和人类文明，无不来自人类的学习。学习的成本最便宜，“无知”的成本最高昂。

☞ 什么是资本？好的想法就是资本，其他的是资金，世界上从来不缺。

☞ 知识就是力量，但并不是所有的知识都是力量。只有强势的知识是力量，弱势的知识不一定是力量。

☞ 庖丁解牛，其实不是解牛，而是解剖他自己。

故事 17

禅师测弟子

有位禅师想要测试他的三个弟子，看看谁最聪明，就发给每人十文钱，让他们用这些钱去买能填满房间的东西。

第一位弟子想了许久，心想："什么才是市场上体积最大，价钱最低的东西呢？"最后他跑到市场上，买了很多棉花。但是，十文钱所能买到的棉花只能填满房间的一个小角落。

第二位弟子的思路与第一位弟子的差不多，他也在到处寻找体积最大、价钱最便宜的东西。最终他挑选了最便宜的稻草，但十文钱的稻草也只能填满房间的三分之二。

轮到最后一位弟子了，前两位弟子和禅师都等着看他的答案。只见他两手空空的就回来了。两位弟子感到奇怪，禅师却在暗暗点头。这位弟子请禅师和另外两位弟子走进房间，然后将窗户和房门紧紧关上。整间房间顿时漆黑一片。

这个时候，这位弟子从他的怀里取出他仅花了一文钱买来的蜡烛和火柴。他用火柴点燃了蜡烛，顿时漆黑的房间里一片昏黄的光芒。这片光芒虽然微弱，但是将房间的每个角落都照亮了。第三位弟子成功地用一文钱填满了整个房间。

酷评

让科学的光芒照亮自己

一片漆黑之中，光明显得尤为珍贵。

世界之初是混沌一片，科学赋予我们劈开混沌世界的智慧和力量，激励我们不懈追

荣辱不惊
方乐畫
老潘印信

求进步和真理。正是有了科学的源源活水，人类历史长河才能如此气势磅礴，奔腾不息。

科学是朴素的，大雁冬临前南飞，薰衣草能让人心神安宁——科学的阳光普照着我们的日常生活；科学是神奇的，从结绳记事到轻点鼠标联通世界，从钻木取火到威力巨大的核能，从手工一钉一铆到现代化全自动流水线——科学的光芒照亮了我们的世界和我们的生活。

必须承认，科学能够解释的东西还很少。我们不懂的东西远远多于懂的东西。我们就好比安徒生笔下卖火柴的小女孩，只点亮了身边的一些东西，还有很多地方是漆黑的。

但是，科学还是照亮了我们的心灵。正是因为科学，人类才逐渐开始摆脱愚昧落后。科学是人类强有力的精神支柱。科学大师彭加勒曾经说过："繁星不仅发出可见光，射入我们的肉眼，而且它们也发出一种十分微妙的光，照亮我们的精神。"

故事 18

子贡辍学

子贡对学习感到厌烦了，想退学，便对孔子说："让我去侍奉国君吧！"

孔子说："你读过《诗经》吗？《诗经》说，每天一早一晚侍奉国君，态度要温顺恭敬，办事要小心谨慎。侍奉国君难哪！"

子贡说："那就让我侍奉父母吧！"

孔子说："《诗经》说，侍奉父母要当孝子，永不疲倦地孝敬双亲。侍奉父母也难哪！"

子贡说："那就让我去陪伴妻子吧！"

孔子说："《诗经》说，对妻子要以身

作则，只有这样才能治好家。陪伴妻子也难哪！”

子贡说：“那就让我去结交朋友吧！”

孔子说：“《诗经》讲，朋友之间要互相帮助，要注意礼仪。结交朋友也难哪！”

子贡说：“那就让我种地吧！”

孔子说：“《诗经》说，冬天到了，农夫仍然辛劳。种田也难哪！”

子贡无可奈何地说：“这样说来，除了学习我就不能干点别的什么吗？”

孔子说：“你看见那一片坟地了吗？大大小小，一座接一座，只有那里面的人才可以停止学习。一个人活着，如果不学习，就会一事无成。”

酷评

学习是人类进步的唯一途径

人不学，不知道。人类知识和人类文明，无不来自人类的学习。

人类从来没有停止过自己的学习。作为

自抱自泣笑世人 痴愚如我梦难真
学仙未遂身先老 入俗难逃心自尘
杯里乾坤浮日月 壶中岁月醉晨昏
休言此世无所得 清风明月总相亲
老潘印信

个体，同样也不应放弃学习，否则将一事无成。再伟大的人物，取得再辉煌的成就，没有一个是不学就会的。

学习的成本最便宜，无知的成本最高昂。停止学习就等于拒绝世界，拒绝世界则必将被世界拒绝。在这个飞速发展的时代，如果忽视了学习，就会有“不知有汉，无论魏晋”的尴尬。“活到老，学到老”，应该成为我们的行动指南。

如果有机会学习，那将是一件开心的事。我们可以不挪地方就获得丰富的人类知识，增长自己的才干，这可是一本万利的生意啊。

对于已经拥有的，我们向来不怎么珍惜。父母和社会为我们提供了便利的学习条件，我们却一再错过。一旦我们觉得有学习的必要了，我们才发现：我们已经错过太多了。

故事 19

象迹之辨

有一位居士向一位老禅师请教，怎样才能发现事情的本质而不是表象。老禅师就对他说了这样一个故事：

很久以前，有两个人都拜同一位先生为师，又一同来到另外一个国家。

他们在道路上看到大象的足迹，其中一位说道："这是一头母象，怀了一只小象，母象的右眼是瞎的；象背上骑着一位妇人，也怀了一个女婴。"

另一个人听后很奇怪，就问道："你怎么

知道的?”

这个人说:“我是用头脑思考知道的。你要是不信，我们一同到前面去看。”

两个人紧赶着前行，找到了那头大象，果然和那人说的一样。没过多久，母象生了头小雌象，妇人也生了个小女婴。

看到这些，其中一个人想：我和他都跟随同一个老师学习，为什么我就看不出来呢?

后来，他们都回到老师身边。其中一位就问老师:“我们两人同行，他一看到大象足迹，就能看出许多问题，我却一点也辨别不出。希望老师重新给我讲课，让我能清楚些。”

老师就问另一个学生:“你是怎样辨别大象足迹呢?”

这个学生回答道:“我只不过是将老师教我们的方法运用到了实际中。我看到大象小便的地方，就知道这一定是头母象；看见大象的右脚足迹深些，就知道它怀着小母象；看见道路左边的草没有任何倒伏，而右边却相反，就知道此象右眼必是瞎了；又看见象歇息之处有小便，便知道象背上驮了妇人；看见妇人足迹很深，就知道她肯定怀了女婴。”

于是，老师对另一个学生说道：“学习，就是要用头脑思考。干什么事，只简单地看表面是不行的。你不能从象迹中辨认出任何东西，这不是我的责任。”

酷评

透过表象看本质

孔子说：“学而不思则罔，思而不学则殆。”只学习而不思考或只思考而不学习，都是不可取的。

在日常生活中，我们要舍弃个人的观念，学会用高层次上的理论来思考，才能判断出自己言行中的对错。能认识错误只是提高的第一步，能改正错误是提高的第二步。

此外，还要善于分析，想尽办法从现象

真象去哪儿了
方成画
老潘印信

的蛛丝马迹中揭示出本质来，才能解决根本问题。当我们遇到矛盾、感到困惑的时候，首先要提出问题——是否有错；其次要分析问题——错在哪里；最后解决问题——找到症结，对症下药，从而根本上解决问题。

现象与本质之间是有联系的，我们可以根据我们所掌握规律推导出来。透过现象可以归纳出本质，根据本质可以推导出现象。要想具备这样的能力，对我们有两方面的要求：一方面需要知识，另一方面需要经验。

在某种程度上，知识也是经验，如我们从书本上学到的知识就是前人的直接经验，这变成了我们的间接经验。

老师教授的方法在未用实践检验之前，不过是间接经验，是知识；而当学生用这个方法去检验现实并得出自己的结论时，这就成了他宝贵的经验。

故事 20

举一反三

在一座大山上有两个寺院，他们分属不同的派别。每天早上，两个寺院都派一个小和尚到山下买菜。他们两人常常在路上遇见，还经常互相试探对方的悟性。

一天，其中的一个问另一个：“你到哪里去？”

“脚到哪里我就到哪里。”另一个回答道。

问话的小和尚听到他这样说，不知道如何回答是好，站在那里说不出话来。

买完了菜，他回到寺院向师父请教，师

父对他说："下次你碰见他的时候就说：'如果没有脚，你到哪里去？'这样你就能击败他了。"

小和尚听完，高兴地回去了。

第二天早上，他满怀信心地下山了，在山下又碰到了那个小和尚。

他问道："你到哪里去？"

"风到哪里我便到哪里。"另一个小和尚回答道。

小和尚完全没有招架之力，因为没想到对方会这样回答，他又呆呆地站在那里，一时语塞。

回到寺院，师父见他一脸晦气，问他道："难道我教你的方法不成吗？"小和尚便将早上的事如实地讲了出来。

师父听了哭笑不得，对小和尚说："那你可以反问他'如果没有风，你到哪里去？'"小和尚眼睛一亮，心想："明天一定能取胜！"

第三天早上，他又碰见那个小和尚了，于是问道："你到哪里去？"

“我到市场去。”另一个答道。

小和尚又一次无言以对。

回去之后，师父感叹道：“有心，才能有‘悟’啊！”

酷评

举一反三，一通百通

这个小和尚并没有真正地理解师父的话，充其量不过是师父的一个传声筒，不能活学

活用、举一反三，只会亦步亦趋。

这就是师父和徒弟的区别。师父可以根据情况千变万化，而徒弟只会一变。早在几千年以前，“至圣先师”孔子曾经对他的学生说：“举一隅，不以三隅反，则不复也。”意思就是说，我举出一个墙角，你们应该要能灵活地联想到另外三个墙角，如果不能的话，我也不会再教你们了。这就是成语“举一反三”的出处。孔子教育我们：别人的东西永远是别人的，只有自己领悟到的才是自己的！

在生活中，知道某样东西也许并不困难，可是活学活用却并没有想象中的那么容易，否则就不会有什么“东施效颦”了。

举一反三，才能一通百通。

故事 21

卓别林一字值千金

1938 年 10 月，幽默大师卓别林写成了以讽刺和揭露希特勒为主题的电影脚本《独裁者》。

第二年春天，影片开拍时，派拉蒙电影公司说：理查德 · 哈定 · 戴维斯曾用《独裁者》写过一出闹剧，所以这名字是他们的“财产”。

卓别林派人跟他们谈判无结果，又亲自找上门去商谈解决的办法。派拉蒙公司坚持：如果卓别林一定要“借用”《独裁者》这个名字，必须付出25 000美元的转让费，否则就要诉诸法律。

卓别林灵机一动，当即在片名前加了个“大”字，变为《大独裁者》，并且风趣地说：“你们写的是一般独裁者，而我写的是大独裁者，这两者之间风马牛不相及。”说完，他扬长而去。派拉蒙公司的老板们一个个哑口无言。

事后，卓别林对朋友幽默地说：“我多用了一个‘大’字，省下了25 000美元，可谓一字值千金！”

酷评

值钱的是知识和智慧

什么是资本？好的想法就是资本，其他的是资金，世界上从来不缺。

再来说个小故事：某公司刚引进的一套生产线发生了故障，公司里没有一个人能够诊断出故障发生的原因。后来公司从外面请了一个工程师，这个工程师敲敲、听听，然后在机器的某个地方画了个圈，说那下面的螺丝松动了。果然，螺丝拧紧后，机器就重新正常工作了。公司问他要多少钱，他说1万美元。公司说画一个圆圈怎么这么值钱。他说圆圈值1美元，知道在哪儿画圆圈值9 999美元。

值钱的不是圆圈，也不是卓别林的一个“大”字，值钱的是他们的知识和智慧。圆圈不是随便画的，字也不是随便加的，这是知识的积淀，是智慧的结晶。工程师绝对不会是在碰运气，卓别林也肯定不是突发奇想，知识就是这样转化成力量的。

有人说笑话，讲一头猪沿着马路朝前走，“咚”的一声撞树上了。为什么？因为猪不会脑筋急转弯。话虽粗，理不俗，不动脑筋就会碰壁，思维一根筋就没出息。

遇见树，转个弯，就安全了。

故事22

天下有贼

子发是楚国的大将军，他喜欢有特长的人。因此，他招揽了很多身怀绝技的门客。

一天，一个小偷去见子发，请人代为转告："听说将军喜欢有特长的人，我没别的本事，不过擅长偷东西，希望能为将军效劳。"

子发听说后，马上出门相迎："有您这样的人才相助，我太荣幸了！"子发身边的官员不满，窃窃私语道："对一个小偷不需要那么客气吧。"子发不语。

没多久，齐国发兵攻打楚国，子发率军

抗敌，但连连交战均告战败。齐国人反而越战越勇。

正在楚国的文官武将们想不出退敌之计时，这个小偷说他有办法。子发也没问是什么计策，就让小偷去了。

到了半夜，小偷潜进齐国大将的帐篷，偷走了他的被子。第二天，子发派人把被子送回给齐国大将军。并附了一封信：“我的士兵去山上打柴，正好捡到了将军的被子，现派人送回。”接下来的两天，小偷分别偷走了齐国将军的枕头和头巾，子发都派人送了回去。

这件事给齐军带去了恐怖和骚乱，齐国的将军和手下军官们意识到，如果不退兵，可能楚军要把他们的脑袋给偷去了。

于是，齐国的军队退回了齐国。

酷评

善于发现别人的长处

这个问题得一分为二看：

一方面，在正常情况下，做贼肯定是违反法规和道德的；另一方面，就要看这种技能用在什么地方了。历史上有孟尝君用鸡鸣狗盗之徒来逃命的典故，也有子发用小偷智退敌军的佳话。所以，任何技能、手段、方法都可以发挥作用。

子发有一种“有容乃大”的胸襟。肯定会有很多人来骂：小偷你也聘用啊？我们这里岂不成了藏污纳垢之地……这个时候子发有自信，不怕压力，知道自己在做什么，为什么这么做。

我们也要善于发现长处，利用长处。任何人都有长处和短处，能不能把他的短处转化为长处，并把这个长处做大做好就是你的能耐了，这也是成功之道。

我们还可以联想到：知识就是力量，但并不是所有的知识都是力量。只有强势的知识是力量，弱势的知识不一定是力量。比如卖油翁天长日久倒油倒得熟练了，可以从铜钱里的那个小孔中来倒油；射箭的人练习熟练了，则可以从铜钱里将箭射过去。同样是娴熟的技能，但是卖油翁的技能并没有什么大的用处，所以一辈子只能是卖油翁。而射箭还可以狩猎、保家卫国，掌握这个技能就有可能当将军，所以才是力量。

故事23

在漩涡中行走的秘诀

一天，孔子在吕梁游玩，看见一个男子在水中扑上扑下，以为他是痛苦想自杀，连忙让弟子去救他。

水流湍急，弟子们沿着河岸走了几百步也无法靠近。忽然那男子竟浮出了水面，只见他披头散发，放声高歌，正在堤下自在游玩。

孔子赶上他，好奇地问道："我见你在如此急的水中悠然自得，开始还以为你是鬼，后来仔细观察，才确定你是人。请问，你能在水中行走是因为有什么道术吗？"

那男子回答说："我没有什么道术。我只不过是开始于习惯，成长于本性，完成于天命。与漩涡一起进去，然后跟随流水一起出来，顺着水流的自然规律，而不是自己想怎样动就怎样动。这就是我能在急流中自由行走的原因。"

孔子感到奇怪，问道："什么是开始于习惯，成长于本性，完成于天命呢？"

男子回答说："我在陵水边出生，因此熟悉陵水的环境，在水中自由行走，这就是习惯；我从小在水边长大，因此安于水边的生活，我喜欢待在水里，这就是我的本性；我在水里活动就好像吃饭睡觉一样自然，我根本没有想到为什么要去做，但我已经这样做了，这就是天命。"

酷评

认识规律是走向成功的捷径

成功的道路有千千万万，但认识规律就能探寻到成功的捷径，事半功倍。

领导来电
下级来电
方尔画

认识规律，首先要尊重规律。水是没有实形的一种物质，聚在一处就是湖，向一方流淌就成了河。一滴水看似柔弱无力，但是千千万万滴水凝结起来就具有了破坏性的力量。这种力量不仅可以摧毁一切，更可以夺人性命。想要在漩涡中成功地行走，首先就要承认水的巨大力量。

其次还要掌握规律。水也是有其习性的，它总是顺着地势流淌，从高到低。一段河流有它湍急的地方，自然也会有平缓的地方；有深的地方，自然也会有浅的地方。把这些规律都摸透了，做到胸有成竹，那么离成功也就不远了。

最后，也是最重要的，就是要利用规律。漩涡的力量是巨大的，那个擅长游泳的人遇到漩涡并没有死命挣扎，反倒顺其自然，跟随着水流沉到河底，又跟随着水流浮出水面。正是利用了漩涡的力量，他才能在水中悠然自得，享受着别人所享受不到的乐趣，成功地在漩涡中行走。

游泳是这样，其他事情也是如此。

故事 24

庖丁解牛

《庄子·内篇·养生主》里，讲述了这样一则故事：

一天，文惠君去看他的厨子宰牛。

只见那厨子宰牛的时候，手触、肩倚、足踩、膝抵，挥刀发出阵阵嚯嚯之声。整个动作一点都不像是在屠宰，反而像跳舞一样悠然自得，酣畅淋漓。

文惠君禁不住赞叹道："真是太美妙了！你的技术怎么能达到如此高超的境界呢？"

厨子放下刀，恭恭敬敬地回答说："宰牛

的时候，我的心中只有道，而没有技术。”

“我刚刚开始宰牛的时候，所见到的都是牛的整体。几年之后，我的眼里就不再有一整头牛了。现在我宰牛的时候，只用心去接触而不用眼睛去看，感觉器官停止了，精神活动还在进行。顺着牛的生理结构，劈开筋骨间隙，沿着骨节的空隙，顺应它本来的结构用刀。从来没有碰到筋骨相连的地方，更不用说大骨头了。”

“好的厨师每年换一次刀，因为他多用割的方法，刀刃的磨损度小；一般的厨师一月换一次刀，因为他多用劈砍的方法，刀刃的磨损度大。而我的刀已经用了 19 年了，还好像刚从磨刀石上磨过一样锋利。”

厨子继续解释说：“因为牛的骨节是有空隙的，而刀刃是没有厚度的，用没有厚度的刀刃去切入有空隙的骨节，自然是游刃有余。但是，每次碰到筋骨盘结之处，我看到很难下手，就小心谨慎起来。集中精神，放慢动作，刀子轻轻挥动，牛的身体就会像泥土一样随之散落在地。”

“这时我提刀而立，观望四下，一副踌躇满志的样子。然后，就把刀好好地收藏起来。”

文惠君说：“真好啊！听了你的一席话，我悟出了养生的道理。”

酷评

目无全牛，心有全牛

庖丁给我们讲述了一个整体与局部的关系问题。而他正是因为充分认识到了这一点，从而进一步掌握规律，利用规律，才能把工

作完成得如此出色。

但是，在目无全牛的同时，也应该做到心有全牛。庖丁的工作其实是一个反求的过程，也就是别人把工作全部完成以后，你接着来进行一次反溯。从某种意义上来说，庖丁只认识支离破碎的牛的局部，而不认识整体的活牛，这在我们今天的工作中是相当不可取的。

然而，这个世界发展到今天，我们已经不但开始认识到更细节的一面，也开始认识到更宏观的一面。作为社会工序的一部分，我们应该也必须认识到整个工序流程的运作，只有这样，我们的工作才能更到位。

所以，庖丁解牛，其实不是解牛，而是解剖他自己。

故事 25

猴子吃西瓜

有一天，猴山上的一只小猴子，捡到一个西瓜，却不知怎么吃，于是，就把西瓜献给了猴王。

猴王拿过西瓜，翻来覆去看了看，也不知怎么下口，便问小猴子："我考考你，西瓜怎么吃？"

小猴子说："我听人家说西瓜是吃瓤的。"

猴王将信将疑，又问见多识广的老猴，老猴说："西瓜是吃皮的，我们姥姥家就是这么吃的。"

猴王想，大概应该相信老猴，就说：“老猴说得对！西瓜是吃皮的，谁说吃瓤就罚他吃瓤，我们吃皮。”

众猴高呼！

啃了一会儿，众猴纳闷：“听人家说西瓜是甜的，怎么这个西瓜淡而无味？”

猴王说：“西瓜就是这样一个吃法，西瓜就是这样一个味道！”

酷评

年长和权势不是真理的注脚

真理往往掌握在热爱真理、追求真理的人手中。掌握真理者，不一定是少数，也不一定是多数，更不一定是年长者或有权势者。

我们常常把经验等同于真理，把对长者的尊重和崇拜看作是对真理的热爱。我们也常常会因为对权势、权威的惧怕而放弃自己的理想和信念。

我们习惯了生活在别人的经验之中，好像这样自己就可以不思考而轻松地生活。事实上，那样的习惯常常让我们误入歧途，就像故事中的猴王那样。所以，对他人经验的轻信，就是对自我思考能力的浪费和践踏。

权势也许可以完成对人身体上的统治，却绝对不能实现对人精神上的统治。权势从来就没有能够阻止人类探求真理的步伐，亚里士多德、伽利略、哥伦布都是不畏权势的热爱真理者。

故事 26

如此传令

营长对值班军官发出指令:“明晚 8 点钟左右,哈雷彗星将可能在这个地区上空划过,这种彗星每隔 76 年才能看见一次。命令所有士兵届时着野战服在操场上集合,我将向他们解释这一罕见的现象。如果下雨的话,就在礼堂集合,我为他们放一部有关彗星的影片。”

值班军官打电话给连长:“根据营长的命令,明晚 8 点哈雷彗星将在操场上空出现。如果下雨的话,就让士兵穿着野战服列队前往礼堂，这一76年才会出现的罕见的现象将在那里出现。”

连长对排长说：“根据营长的命令，明晚8点，非凡的哈雷彗星将身穿野战服在礼堂中出现。如果操场上下雨，营长将下达另一个命令，这种命令每隔76年才会出现一次。”

排长对班长说：“明晚8点，营长将带着哈雷彗星在礼堂中出现，这是每隔76年才有的事。如果下雨的话，营长将命令彗星穿上野战服到操场上去。”

最后，班长对士兵这样传达命令：“在明晚8点下雨的时候，著名的76岁的哈雷将军将在营长陪同下，身着野战服，经过操场前往礼堂。”

酷评

不要让真理变成谬误

真理和谬误，往往只差那么一小步。

我们被信息包围着，每天都无数次地接收和发出各种信息。我们每个人都是一个客观存在，但我们的思想和观念却永远是主观的，每个人都会站在自己的角度和立场解释世界，信息的传递也因此具有了主观性。由于人的介入，信息在传递的过程中就伴随着丢失和变异，结果就是“失之毫厘，谬以千里”。

现代社会，谁掌握了信息，谁就拥有了机会，但错误的信息会让人误入歧途。这时，“道听途说”或“不求甚解”都有可能是致命的错误。

在“信息源→传播者→接收者”这个链条中，我们往往会扮演三种角色。作为信息源，我们应该尽可能做到简洁清楚；作为传播者，我们应该认真负责，做到真实准确；作为接收者，我们应该理智谨慎，做到去伪存真。只有切切实实演好每个角色，我们才能赢得成功。

名人名言

知识犹如海洋，那些在海面上手舞足蹈和拍击作响的人，往往要比默默无闻钻入未经考察的海底去探寻宝藏的来访者更加名噪一时，从而更加引人注目。

——欧文·华莱士

知识就是力量。

——培根

知识是精神食粮。

——柏拉图

知识犹如人体的血液一样宝贵。人缺了血液，身体就会衰弱，人缺少了知识，头脑就要枯竭。

——高士其

知识是治疗恐惧的良药。

——爱默生

没有任何力量比知识更强大，用知识武装起来的人是不可战胜的。

——高尔基

知识不能单从经验中得出，而只能从理智的发现同观察到的事实两者的比较中得出。

——爱因斯坦

有了知识而不运用，如同一个农民耕耘而不播种。

——萨迪

才智作为一种可能性，只有知识和学问，才能付诸实现。

——格里美尔斯豪森

对大多数人而言，知识不过是船上的一盏尾灯，仅仅照亮了航向的轨迹。

——柯勒律治

本性赋予我们知识的影子，而不是知识本身。

——塞涅卡

灿烂的知识的光辉在心间闪耀，知识对于身体，好比防灾避难的铠甲。

——鲁达基

旅人没有常识，如同飞鸟没有羽翼；理论家没有实践，如同树木没有果实。

——萨迪

知识的活动只有一个实实在在的理由——使心灵能成长。

——卡耐基

心灵中的黑暗必须用知识来驱除。

——卢克莱修

决不要企图掩饰自己知识上的缺陷，哪怕是用最大的猜度和假设作为借口来掩饰。

——巴甫洛夫

我们绝大多数的知识不是来自我们观点相同的人，而是来自我们观点不同的人。

——科尔顿

知识不仅来自真理，也来自错误。

——荣格

学问是我们随身的财产，我们自己在什

么地方，我们的学问也跟着我们在一起。

——莎士比亚

我读得越多，我想得越多；我获取的知识越多，我越坚信我什么也不懂。

——伏尔泰

在知识的山峰上登得越高，眼前展现的景色就越壮阔。

——拉吉舍夫

我们的知识是积聚的思想、无数才智的体验。

——爱默生

知识不存在的地方，愚昧就自命为科学。

——萧伯纳

在一个不断前进的时代中，知识对我们

来说，确是一个舒适和必要的庇护所；如果不趁我们年轻时多栽些树，待到年迈时就享受不到一丝阴凉。

——切斯特菲尔德

求知是人的自然感情。任何人，如果他的头脑没有堕落的话，都会竭尽其所能地获取知识。

——塞缪尔·约翰逊

学习不仅是明智，它也是自由。知识比任何东西更能给人自由。

——屠格涅夫

我们要像海绵一样吸取有用的东西。

——加里宁

青年时期忽视了学习的人，失去了过去也将毁灭未来。

——欧里庇得斯

4. 教育成就未来

☞ 教育是连接上天和自助的纽带。教育给我们提供土壤，使我们心中的种子发芽、开花、结果。

☞ 教育，就是“捧着一颗心来，不带半根草去”。没有爱，就没有教育。归根到底，所有教育都是爱的教育。

☞ 教育不分贵贱。出身低微，或许是我们的不幸，但并不是我们的归属。出身豪门和寒门，各有利弊。

☞ 不论是自我教育、社会教育还是终身教育，都是教育的形式。教育，是人类自我完善的唯一途径。

☞ 人非圣贤，孰能无过。犯错误并不可怕。如果你什么都不做，那就什么经验都没有，到头来，什么都不会，那才是最大的错误，才真正可怕。所以，我们要勇于实践，不要怕犯错误。

故事 27

天使当老板

同大多数西方人一样，曼妮每天都为自己的家人祈福。

一天夜里，她梦见自己家附近新开了一家商店，装饰别致，店堂明亮。进去一看，却发现店内并没有琳琅满目的商品。更不可思议的是，迎面走来和她打招呼的竟然是一位天使。

天使微笑着问曼妮：“请问，有什么可以为你服务的吗？”

“您这儿都卖些什么呢？”曼妮疑惑地问。

“你心中所想要的一切。”

曼妮真有点不敢相信自己的耳朵，暗自庆幸自己的祈祷得到了回应。

“我要买平安、爱、快乐、智慧，还有刚强！”她兴奋地回答。

这样想着，她又补充了一句：“哦，不只为我，也为我所有的家人都买一些。现在就可以提货吗？”

天使依然微笑着，说：“孩子，我想你是弄错了。我们这里不卖果子，只卖种子。”

酷评

天助自助者

故事从一颗种子开始。事实上，上天在每个人心中都播种了一颗种子，至于种子如何才能长成果子，就要靠每个人自身的努力了。所以我们说，天助自助者。

“天”就是机遇和好运。表针常走、山河常转，机遇和好运随时随地都有。但是，机遇永远只会降临在有准备的人头上。只有自

【直播带货】
方乐画
直播带货风流行
品牌平台各有图
主播佣金不能少
粉丝实惠心满足
经济目标难三角
金融政策难三顾
产品难以全满足
主播先选择高附加
直播带货

助，这些机遇和好运才会转化为推动你前进的动力；人若不自助，上天也无能为力。

“自助”就是不放弃努力。每个人出生的环境或优或劣，这是一种客观存在。自助者，一定是热心对待人生。而唯有对人生、对事业、对亲人持有热心的人，才能战胜痛苦，获得帮助，赢取信任。

教育是连接上天和自助的纽带。教育给我们提供土壤，使我们心中的种子发芽、开花、结果。美国著名教育家杜威说：“教育不是生活的准备，教育就是生活本身。”是的，教育使我们懂得人生的意义，获得生命的欢乐。教育也是一种对话，是每个人的自我审视，是人与人的相互交流，更是每个人和自己心中上帝的对话。只有通过教育，我们才会成为更优秀的人——而这种教育主要是自我教育。

所以，正视困难是自助的前提，平和心态是自助的基础，增强信心是自助的保证，不懈努力是自助的途径。

故事 28

望洋兴叹

秋天，雨水遍地。许多河流的水都灌注入黄河中。黄河河面因此变得十分宽阔，水流汹涌，一眼望去，沙洲上的牛马都分辨不清。

黄河的河神名叫河伯，他因此欣然自得，以为天下之美都聚集于自己一身。他顺着水流向东，到了北海，只见海水无边无际，看不到尽头。

河伯收起得意的神情，对着海神说："俗话说'懂得一百条道理，就以为没人能比得上自己，'这就是说我啊！而且我还听说有人认为孔子的学问不够渊博，伯夷的节义不够高尚，以前我并不相信。如今我看到你这样无边无际，要不是亲自来到你这里，那就太危险了，我将会永远被方家所耻笑。”

海神说：“井底之蛙，不可以和他谈论大海，这是因为受到空间的局限；夏天的虫子，不可以和他谈论冰冻，这是因为受到时间的局限；乡下的人，不可以和他谈论大道，这是因为受到教养的局限。如今你从河道中出来，看到了大海，才知道自己的浅陋，这样才可以和你谈论大道。”

河伯说：“愿闻其详。”

海神说：“天下之水，没有比海更大的了。百川归海，可是海水从不会满溢出来；海水从底部排泄出去，永远不停止，可是海水从不会减少。春夏秋冬，水涝干旱，都不会有什么变化。大海的容量超过江河，数量不可计算。但我从不因此而自满。”

河伯问：“为什么呢？”

海神说：“天地给我形体，阴阳给我生

气，我生存于天地之间，就好像石头树木存在于大山上，我以为自己很渺小，又怎么会自满呢？四海在天地之间，不就好像蚁穴在大湖里一样吗？中国在四海之内，不就好像小米存在于粮仓一样吗？万物不可胜数，人类只不过是其中之一。九州之地，粮食在这里生长，车马在这里通行，人类在这里聚集，每个人又只是人类中的一员，如果把个人与万物比较起来，不就好像马身上的一根毫毛吗？五帝所继承的，三皇所争夺的，仁人所忧虑的，贤士所操劳的，都不过如此。伯夷通过辞让博取义名，孔子通过谈论显示渊博。这是他们的自满与自傲，不就好像你先前在河水暴涨时洋洋自得吗？”

酷评

让自己成为“知道”的人

河伯在流动中丰富了体验，完善了自我。

生活中，我们常常会犯这样那样的错误，比如盲目自大就是常见的错误。究其原因，正是因为不知道自己不知道。

一般来说，世界上的人大致有这样四种：不知道自己不知道，知道自己不知道，知道自己知道，不知道自己知道。

盲目自大的毛病容易出现在第一个阶段中，骄傲自大的毛病则容易出现在第三个阶段中。但事实上，不知道自己知道是一个相当高深的层次，几乎没有人能达到这样一个境界。大多数以为知道自己知道的人，其实仍旧停留在最初的“不知道自己不知道”的阶段。

不知道自己不知道的原因，就是缺乏生活经验，如果要想让自己更完善、更优秀，那么就要努力让自己“知道”。而“知道”的途径除了阅读以外，更直接的就是体验。

比如说出去旅游或者出国工作，有条件的话，一个人一生多少应该经历一些。以一个局外人的角度去观察一种异质文化，无论那种文化先进或落后，必定会让你有所感悟。由此，你将更清楚自己处在整个人类文明的哪一阶段。

故事 29

优秀是教出来的

《优秀是教出来的》这本书，在美国已经畅销 100 多万册，作者克拉克是一位小学教师，他因为超常、巧妙、贴心、热心的教学态度，获得了全美最佳教师奖。他也是唯一被美国总统接见过三次的小学老师。

究其成功要素，有以下四条：

其一，良好环境的熏陶。

他教书的最大志向，就是要给每个学生一个不一样的人生。他有一个平凡而伟大的奶奶，这是影响他一生的最重要的人。这位身高才1.50米出头的奶奶，只要她手一叉腰，全家第一高就是她。她可真是个小巨人啊！最让他刻骨铭心的是奶奶教他要对人有礼貌、尊重他人、感激他人、欣赏他人；奶奶也教他享受人生，把握人生中的每个机会和每个时刻。父母则教导他不能让烦恼占据自己的心灵，不论大事小事，总有解决的办法，坦然地接受它，勇敢地面对它，坚强地挑战它。因此，在父母潜移默化的影响下，虽然小学的教学环境极为艰难，教学资源极为匮乏，他依然能屡屡突破创新。

他认为，一个孩子必须懂得关爱他人与尊重他人，而且时时刻刻都要设身处地为别人着想，应学会体贴与关怀。他让孩子在真诚与美善的环境中，懂得宽恕与包容。

其二，教书就是制造惊喜。

克拉克老师说："教书就是制造惊喜，就是为孩子制造一生难忘的时刻。"他无时不在制造惊喜。全书中最精彩的片段，就是克拉克老师制造了一个震撼全州，甚至全美国的惊喜。

从创意广告的设计与销售流程，继而师生熬夜接收从全国各地蜂拥而入的传真谜底；乃至最兴奋、最期盼的等待，等待令人惊心动魄的电话铃响。美国第一夫人希拉里的电话，让所有的政商界领袖、全校师生、孩子的家人与朋友在一场记者会中屏气凝神，原本只预计讲 15 分钟的电话，却讲了 45 分钟，孩子们受到极大的鼓励，欣喜若狂。

一个人口不到 600 人的小镇，一所边缘学生、问题学生一堆的小学，一所让很多想要去任教的人望而却步的学校，瞬间成为全国举目的焦点！这些穷困人家的孩子，从来没有走出小镇，却因为遇到了一位影响他们一生的小学老师，让他们从小镇迈出一大步，直接前往白宫。平常只能在电视上才得以观望到的总统与夫人，因为克拉克老师巧妙的安排，孩子们不但真真实实地看到，甚至还与他们促膝长谈。

还有一件感人至深的事，克拉克老师获

得全国教师奖的入围，必须到洛杉矶接受颁奖，他要求让学生一起分享荣耀，主办单位迪斯尼公司答应，但经费必须自己筹措。克拉克自己私下拜会政商界领袖，请他们赞助。不久，大小捐款陆续涌入。克拉克带领全班到洛杉矶早已胸有成竹，却又故意制造一个惊喜，必须抽签，只能抽中三人。等到谜底揭晓，得知全班参加，孩子们个个早已哭成泪人儿。他们不敢相信，已经可以去白宫，又可以去迪斯尼——怎么如此轻而易举地得到天上掉下来的礼物？

其三，循规蹈矩，自重自爱。

克拉克教导孩子们在日常生活中一定要谨守纪律，不可草率敷衍。孩子们从小礼貌周到，长大后较容易广结善缘，对人际关系的拓展，无往而不胜。在克拉克老师的教导下，孩子们都能自重自爱，做任何事绝对循规蹈矩，尤其他们已经养成在公共场所，即使是电影院或者是在飞机上，都不会大声喧哗，有些地方必须肃静时，即使小声说话亦不可。这群孩子在很多地方表现出的教养，每每令人刮目相看。

其四，优秀是教出来的。

克拉克老师为了让孩子树立正确的人生方向，设立了55条班规。但他的班规不是刻板教条的理论，看似严谨其实轻松，更多的是温馨。让孩子们在日常生活中的一言一行，甚至每一个细微处，都能做到尽善尽美。孩子们在老师的循循善诱下，如沐春风。孩子们在爱的世界中，以柔软的心抚触周遭的万事万物，感受生活中的诸多乐趣，也体验了生命中的诸多喜悦。五年的教书生涯中，他肯定优秀是教出来的，让他更引以为傲的是：他教出来的孩子都是最优秀的。

克拉克老师教给孩子的不只是生活教育，更重要的是人生最重要的课题——生命教育。

酷评

所有教育都是爱的教育

教育，就是给人人走向社会创造一个相

对平等的环境。早在两千多年前，孔子就提倡“有教无类”。

教育，重要的是师爱。师爱是师德的灵魂，是教师职业道德的核心和精髓。教育名著《爱的教育》一书对“师爱”有这样的描述：“教育之没有情感，没有爱，如同池塘没有水一样。”

教育，要因材施教，针对学习者的智力和非智力因素等具体情况，施行不同的教育。教育，要施教有类。美国教育家霍华德·加德纳于 1983 年提出多元智力理论，其核心是促进多种智力和谐发展，实际上是依据心理学、教育学的原理，阐明“有教无类”“施教有类”的辩证思想。多元智力理论是更具体地解决“采用什么样的教育方式”“如何培养学生”“培养什么样的学生”的思想、方法、策略等问题。

教育，就是“捧着一颗心来，不带半根草去”。陶行知，这位中国著名教育家进而指出：“在教师手里操着幼年人的命运，便操着民族和人类的命运。”可见，教师本身的素质是特别重要的。

的确，没有水，就不成其为池塘；没有爱，就没有教育。

归根到底，所有教育都是爱的教育。

故事 30

爱的力量

25 年前，有位教社会学的大学教授，曾叫班上学生到巴尔的摩的贫民窟，调查 200 名男孩的成长背景和生活环境，并对他们未来的发展作一个评估，每个学生的结论都是："他们毫无出头的机会。"

25 年后，另一位教授发现了这份研究，他叫学生做后续调查，看昔日这些男孩今天是何状况。调查结果是：除了有 20 名男孩搬离或过世，剩下的 180 名中有 176 名成就非凡，其中担任律师、医生或商人的比比皆是。

这位教授在惊讶之余，决定深入调查此事。他拜访了当年曾受评估的年轻人，向他们请教同一个问题："你今日会成功的最大原因是什么？"

结果，他们都不约而同地回答："因为我遇到了一位好老师。"

这位老师目前仍健在，虽然年迈，但还是耳聪目明。教授找到她后，问她到底有何绝招，能让这些在贫民窟长大的孩子个个出人头地？

这位老太太眼中闪着慈祥的光芒，嘴角带着微笑回答道：

"其实也没什么，我爱这些孩子。"

酷评

爱可以创造力量

从孔子的"有教无类"，到陶行知先生的"捧着一颗心来，不带半根草去"，都是平民化教育，都是提倡教师的无私奉献精神。

教师只有爱岗敬业，树立高尚的职业道德，热爱学生，热爱教育事业，才能在学生心中树立良好的教师形象；教师只有爱岗敬业，才能严谨治学，才能钻研教材、教法，才能上好每一节课；教师只有爱岗敬业，才能不断追求、不断学习，才能具有渊博的知识、广泛的兴趣，才能给学生“活水”。

教育不分贵贱。出身低微，或许是我们的不幸，但并不是我们的归属。出身豪门和寒门，各有利弊。出身豪门，别无选择地子承父业，可能永远活在父辈荣耀的阴影下。出身寒门，就很有成就感，稍微获得点爱就能激发热情，懂得感激和珍惜。

法国的夏尔丹说："人类在探索太空、征服自然后，将会发现自己还有一股更大的能力，那就是爱的力量，当这天来临时，人类文明将迈向一个新的纪元。"

爱本身没有力量，但却可以创造出力量。随处撒播你的爱心，从对你的家人开始，多一分关爱给你的孩子、你的另一半、你的邻居……让每个接近你的人都有如沐春风的感觉。给别人一个关怀的眼神，一个灿烂的微笑，一个温暖的拥抱，为上帝的仁慈做见证。

故事 31

奴隶的价钱

埃韦尔是个富翁，他拥有很多金币和奴隶。

但是，他为人却很吝啬，经常对奴隶吆喝，责怪他们干活不够麻利，消磨时间，浪费他的工钱。

埃韦尔有个儿子到了读书的年龄。埃韦尔希望他能得到最好的教育，今后继承自己的财产。

听说城里有个阿里斯提卜，是当地最好的老师。于是，埃韦尔就想送他的儿子到阿里斯提卜那里去求学。

但是，阿里斯提卜的学费比其他任何人都贵，要收 500 德拉克玛的学费。埃韦尔盘算了一下，很不高兴地说："这笔钱我都可以买一个奴隶啦！"

阿里斯提卜冷冷地看了他一眼，说："如果你不把孩子送来，你将会得到两个奴隶。"

酷评

理解教育的本质

这个故事发生在古代，当时的人们至少已经萌生了对教育最初的理解。

通过教育，我们才能成为更好的人。

什么是教育？古今中外有不少精辟的论述：

孔子：大学之道，在明明德，在亲民，在止于至善。

鲁迅：教育是要立人。儿童的教育主要是理解、指导和解放。

陶行知：教育是依据生活、为了生活的

“生活教育”，培养有行动能力、思考能力和创造力的人。

康德：教育是由个体自我设计、自我选择、自我构建、自我评价的过程，是自我能力的发展。它体现着社会意志和教育者与受教育者平等自由地、审慎严肃地共同探究的机理，不是“指令”，不是“替代”，更不是让茧中的幼蝶曲意迎合或违心屈从。

爱因斯坦：什么是教育？当你把受过的教育都忘记了，剩下的就是教育。

国际21世纪教育委员会向联合国教科文组织提交的教育研究报告说：教育是“保证人人享有他们为充分发挥自己的才能和尽可能牢牢掌握自己的命运而需要的思想、判断、感情和想象方面的自由”。

无论是自我教育、社会教育还是终身教育，都是教育的形式。教育，是人类自我完善的唯一途径。

故事 32

宰相教子

有一个宰相的妻子，非常重视儿子的前途。

她每天不辞劳苦地劝告儿子要努力读书，要有礼貌，要讲信用，要忠于国君等。而宰相却是早上离开家去上朝，晚上回来则看书。

爱儿心切的夫人终于忍不住说："你别只顾你的公事和看书，你也该好好地管教管教你的儿子啊！"

宰相眼不离书地说："我时时刻刻都在教育儿子啊！"

言教不如身教

言教再多，也不如身教有效。感化，远胜于严酷的打骂。

可惜，社会上有一些父母，自己是一条虫却希望孩子成龙成凤。其实，在任何一个组织里，领袖当然是众人的榜样。你的言行举止影响着众人，只有以身作则，做一个高尚的人，才能自身正而众人正。

否则，人家凭什么拥戴你？

故事33

“渔王”的儿子

有个渔人，有着一流的捕鱼技术，人们尊称他为“渔王”。

然而，“渔王”年老的时候非常苦恼，因为他的三个儿子的渔技都很平庸。

于是，他经常向人诉说心中的苦恼：“我真不明白，我捕鱼的技术这么好，我的儿子们为什么这么差？我从他们懂事起就给他们传授捕鱼技术，从最基本的东西教起，告诉他们怎样织网最容易捕捉到鱼，怎样划船最不会惊动鱼，怎样下网最容易捕到鱼。他们长大了，我又教他们怎样识潮汐，辨鱼汛……凡是我长年辛辛苦苦总结出来的经验，我都毫无保留地传授给了他们，可他们的捕鱼技术竟然赶不上技术比我差的渔民的儿子！”

一位路人听了他的诉说后，问：“你一直手把手地教他们吗？”

“是的，为了让他们得到一流的捕鱼技术，我教得很仔细很耐心。”

“他们一直跟随着你吗?”

“是的，为了让他们少走弯路，我一直让他们跟着我学。”

路人说:“这样说来，你的错误就很明显了。你只传授给了他们技术，却没传授给他们教训，对于才能来说，没有教训与没有经验一样，都不能使人成大器!”

酷评

人在错误和教训中成长

首先，人人都会犯错误。“人非圣贤，孰能无过。”犯错误并不可怕。如果你什么都不做，那就什么经验都没有，到头来，什么都不会，那才是最大的错误，才真正可怕。

其次，正确地对待错误。出现错误之后，要善于总结经验教训。只有从错误中吸取教训，才能学到东西，才会有长进。

最后，犯错误要趁早。假如我们很年轻，犯点错误还可以指望别人原谅；如果我们已经从业多年，就连犯错误的资格都没有了。

名人名言

教育就像是一门十分精细的医术，它要医治并完全治愈脓疮，但不承认挖出是个好办法。

——苏霍姆林斯基

教育意味着使青年人能了解到人类最优秀的遗产。

——弗洛姆

教育之于心灵，犹如雕刻之于大理石。

——爱迪生

教育并不是在你的心田播种，而是使你心里的种子发芽生长。

——纪伯伦

普及教育就是普及繁荣。

——诺贝尔

学校的教育应是培养有独立行动和独立思考的人。

——爱因斯坦

注意每个人，关怀每个学生，并以关切尔又深思熟虑的谨慎态度对待每个孩子的优缺点——这是教育过程的根本之根本。

——苏霍姆林斯基

使孩子诚实是对儿童教育的开始。

——拉斯金

使人愉快的必要条件是智慧，而智慧可

以通过教育而获得。

——罗素

教任何功课，最终目的都是为了达到不需要教。

——叶圣陶

教育家也是人类心灵的工程师。

——加里宁

古之学者必有师。师者，传道、授业、解惑也。

——韩愈

所谓教育，就是指有计划地感化新一代，以便培养出有一定类型的人。

——克鲁普斯卡娅

教育决定一个人未来的生活方向。

——柏拉图

生活即教育。

——陶行知

谁能容忍生活中的幸福和忧患，我认为就是受了最好的教育的人。

——卢梭

教育使一个国家的人民容易领导，但是难于驱使；容易统治，但不能奴役。

——布鲁厄姆

科学，绝非轻而易举的事业，只有坚毅的智者才适于从事科学。

——蒙田

科学成就就是一点一滴积累起来的，唯有长时间的积聚点滴才能汇成大海。

——华罗庚

科学是讲述实际的。科学是老老实实的学

问，来不得半点虚假，需要付出艰巨的劳动。

——郭沫若

正像房子是用砖砌起来的一样，科学是用事实建成的；但正像一堆砖头并不是房子一样，仅仅把事实堆积起来算不上科学。

——庞加莱

一切科学都是能传授的，凡是用科学的方法认知的对象都是能学习的。

——亚里士多德

书本应该依据科学，而不是让科学去依据书本。

——培根

科学是将帅，实践是士兵。

——达·芬奇

5.

时间包容一切

☞ 诚然，这个世上的确没有什么可以地老天荒、延绵永存。然而任凭时光飞逝，物是人非，斗转星移，那些曾经流淌在我们心中的美丽却能永存。

☞ 过去的，无法改变；将来的，无法预料；你能把握的，只有现在！

☞ 其实，处处是生活，只不过缺少发现它的心灵罢了。我们所能做的就是珍惜当下，生活就在此处。

☞ 在时间管理上也一样，你要先做紧要的事情，再做相对不是那么紧要的事情。否则，你就再也没有机会做最紧要的事情了。

☞ 在生命的过程中，我们何不自在一点，在等待中自在，在未知中期待。等待，也是一种人生。等待的，是自己的信念。

故事 34

爬楼梯

有一对兄弟，他们的家在 80 楼。

一天，他们外出旅行回到家中，发现大楼停电了，而且暂时修不好！这个时候，他们想的只是希望能尽快回到家好好地洗个澡，休息一下。

于是，哥哥对弟弟说："我们爬楼梯上去吧！"

说着，他们背着大行李包开始爬楼了。

爬到 20 楼的时候，他们开始觉得累了，哥哥说："包太重了，这样吧，我们把包放在这里，等来电以后坐电梯来拿。”于是，他们把行李放在了 20 楼。

一下子轻松多了，他们继续向上走。

兄弟俩有说有笑地爬着楼梯，但是这毕竟是与地球引力作对啊！到了 40 楼，两人累坏了。

一想到只爬了一半，两人不禁开始互相埋怨起来。一个说你考虑不周全，一个说你当时也没反对。他们边吵边爬，就这样一路爬到了 60 楼。

到了 60 楼，他们累得连吵架的力气也没有了。弟弟对哥哥说：“我们别吵了，一口气坚持爬完吧。”于是他们默默地继续爬楼，终于到 80 楼了！

兄弟俩兴奋地来到家门口，才发现他们的钥匙留在了 20 楼的包里了……

酷评

珍惜每一个现在

有人说，这个故事其实反映了我们的

人生：

20 岁之前，我们活在家人、老师的期望之下，背负着很多的压力、包袱，自己不够成熟，能力也不足，因此步履难免不稳。

20 岁之后，离开了众人的压力，卸下了包袱，开始全力以赴地追求自己的梦想，这样愉快地过了 20 年。

可到了40岁，发现青春已逝，有好多遗憾和追悔，于是开始惋惜这个、抱怨这个、嫉恨那个……就这样在抱怨中又过了20年。

到了60岁，终于发现人生所剩不多了，于是告诉自己不要再抱怨了，珍惜剩下的日子吧！接着，默默地走完了余生。

到了生命的尽头，才想起自己好像有什么事情没来得及做！原来，我们所有的梦想都留在了20岁的青春岁月里，很多事还没有来得及完成。

事实还不止如此：楼爬得越高，眼中的事物也就越不一样，人生也是这样。我们往往在不经意间发现，一些小时候能看得很清楚的事情，年纪大了反而看不清楚了，就好比在楼层低的时候看到的景物是很清晰的，而楼层越高看到的景物也就越不清楚了。

面对这个残酷的现实，我们只有在人生的不同阶段，做好每个阶段应该做的事，珍惜每一个现在。

故事 35

这也会过去

国王做了个梦，一位先知在梦里告诉他一句话——一句涵盖了人生所有智慧的话。人们若能理解这句话，就能在高兴的时候不会忘乎所以，忧伤的时候抚慰心灵，生活上保持良好心态，始终勤勤恳恳，兢兢业业。

国王觉得这话很受用，想把它告诉自己的人民。

可是，他醒来后却怎么也想不出那句话来。

于是，他请来了这个国家最有智慧的人，

向他们描述了梦的始终，希望他们中能够有人想出那句话来。

国王摘下了自己的皇冠，摆在宫殿正中的圆桌上，郑重地说："如果谁能想出这句话来，我就把王位让给他。"

几周过去了，一位智者竟然真的把这句话想出来了。但是，他并没有因此得到王位，因为没有人知道他是谁。他把这句话写在了皇冠上，却没留下姓名。

其实，那是一句十分简单的话："这也会过去。"

酷评

风物长宜放眼量

有人说，人生不过是黄粱一梦，再繁华的美丽也有落寞的一天，再曲折的悲欢终有落幕的终结。

诚然，这个世上的确没有什么可以地老天荒、延绵永存。然而任凭时光飞逝，物是人非，斗转星移，那些曾经流淌在我们心中的美丽却能永存。

时间一直在流逝。今日是昨日的明天，明天的昨日。我们生活，我们存在，我们随着时间的洪流出现又消失。生命，本就是一个无人能解答的谜。

既然一切都会过去，昨日不会重来，何不珍惜当下的幸福。当你真实而努力地走过每一刻生命的轨迹，你才有可能做到此生无悔。而那些散落在生命里的点滴回忆，便成为你重温幸福的电影胶片，每一次重放都会有新的喜悦。

人们喜欢感慨过往的，并不仅仅因为韶华易逝、好景难再，更是因为幸福临近时没能好好把握。不要感慨岁月的流逝，重要的是珍惜眼前的今天。而那些逝去的日月，会因为我们的足迹和涂抹变得弥足珍贵，是值得我们珍藏在宝瓶里享用一生的名贵熏香。哭过了、痛过了、笑过了、醉过了，曾经真实的过往永远定格在那一个瞬间。

要知道，回忆时幸福的微笑也是令人心动的美。

故事 36

快与慢

有一个欧洲青年，到了东方，看到生活节奏太慢，实在难以适应。

有一次，看到一个老人在很慢地做事情，实在忍不住，就问他为什么那么慢。

老人回答："生活就是一个从生到死的过程，你为什么要那么急匆匆地赶往它的终点呢？"

欧洲青年深深感叹道："这真是东方的智慧！"

人生的不同境界

为什么少年人比较喜欢冒险？因为他们眼前有太多的岁月，所以不觉得生命的可贵；他们心底有太少的记忆，所以不惜冒险以寻求新的经验。

为什么中年人比较喜欢金钱？因为他们只剩下一半的年岁，所以渐渐感觉享受生命的重要；他们不再仗恃年轻的活力，所以开始依靠金钱。

为什么老年人比较喜欢安静？因为他们拥有丰富的过去，却只剩下少许的未来，他们不能花时间找新的体验，而需静静咀嚼过去的回忆。

“人就这么一辈子”，这七个字，说起来容易，听起来简单，想起来却很深沉。它能使人在懦弱时变得勇敢，矜持时变得谦虚，颓废时变得积极，痛苦时变得欢愉。

世界是多元的，人生有不同的境界。积极冒险固然可嘉，安宁恬淡也是一种好的选择。

故事 37

学无止境

曾经有一个徒弟，自以为师傅的所有技艺都已经学到手了，于是向师傅辞行。

师傅拿出一个罐子，往里一颗颗装了鹅卵石，直到装满一罐。

师傅问徒弟："满了吗?"

徒弟说："满了。"

师傅又往罐子里加了一些沙子，直到沙子把鹅卵石留下的空隙全部填满。

师傅又问徒弟："这下满了吗?"

徒弟说："这下真的满了。"

师傅又往罐子里加了一些水……

徒弟终于知道了学无止境的道理。

酷评

先做紧要的事情

在一次培训中，一位老师在桌上放着一个罐子，还有鹅卵石、沙子和水。他让学生把它们装进罐子。

有一个同学很聪明，他先将石子装入，再装入沙子，最后装水。

老师问：“这告诉我们什么？”

所有的学生都说是：“人不能自满。”

老师说：“这是一个时间管理问题。如果你先装沙子和水，你就再也没有机会把鹅卵石装进去了。在时间管理上也一样，你要先做紧要的事情，再做相对不是那么紧要的事情。否则，你就再也没有机会做最紧要的事情了。”

接着，老师又拿出一只杯子，往里加满了水。然后，他问学生：“是不是满了？”

读书最高境
装模作样来
明白也装傻
糊涂更明白
看似傻乎乎
其实心里明
欲向真相何
唯有装糊涂

这一次，学生毫不怀疑地说："满了。"

老师拿出一盒回形针，问学生在水不溢出的情况下，这个杯子里可以放进多少回形针。学生们恍然大悟：水是有表面张力的！于是，各种答案都有，最大胆的学生断言说可以放 20 只回形针。

老师把回形针别成 10 个一串，很快放了 2 串进去。水，并没有溢出。老师接着放回形针，一直放了 10 串，也就是 100 个。水，还是没有溢出。

老师总结道："不要老是抱怨没有时间，就像鲁迅说的那样，时间就如牙膏，只要你愿意挤，总还是有的。"

故事 38

学会等待

有个年轻的小伙子性子很急躁。有一次，他与情人约会，去得太早，姑娘还没来。他站在大树下面长吁短叹：“为什么连约会都要等待呢？做什么事都让人不开心！”

正在这个时候，一个神仙出现在他的面前，给了他一个钟，说：“当你想要时间变快的时候，只要拨动钟表，就可以得偿所愿了。”

小伙子高兴极了，他把钟向前拨动了一小格，情人马上出现在了眼前。

他想："如果现在就能结婚就更好了。"于是，他又拨动了一小格。婚礼上，他和情人并肩而坐，悠扬的音乐和醉人的美酒都出现了。

他又想："现在如果就是洞房花烛夜多好呀！"于是，他又向前拨动了一小格，屋子里就只剩下了他们两个人。

他心中的愿望层出不穷，于是不停地向前拨动了一小格，得到了房子、吵闹的孩子，还有树上丰硕的果实……

时间飞快地过去了，生命很快就要走到尽头了。弥留之际，他开始后悔自己以前做任何事都那么急切，还没有认真享受生活，生命已经走到了尽头。如果可以重新来过，他一定可以等待的，但是后悔已经晚了，因为那个神仙告诉他，那个钟表只能向前转不能向后转。他躺在床上后悔莫及，痛哭流涕。

突然，可爱的情人出现在自己眼前，她还是那么年轻美丽。周围鸟语花香，蓝天白云，小鸡悠闲地在草地上吃虫子，好可爱的一天呀！

原来，刚才的情形只是一场梦。他高兴地跳起来，拉着情人的手说："亲爱的，等你真是一种幸福！"

酷评

在等待中自在

我们中的大多数都曾经像这个年轻人一样希望快点知道生命的结果。当我们还是孩子的时候，总是急切地盼望自己能马上长大成人，为自己长到够资格买车票而感到高兴。

但是，我们究竟是该享受过程还是享受结果？

生命是一个过程，也只是一个过程，是一个从一开始就一天天地走向结束的过程，而且是这个世界上唯一对每一个人都绝对平等的事情。

人生很长时间都是在等待。我们除了放弃焦虑的心情，要学会等待。但幸运的是，在漫长的等待过程中，我们还是可以做其他事情。

虽然每个人生命的开始和结果都是完全一样的，但我们可以在等待的过程中改变生命的内容。我们可以做的事如此之少，同时也是如此之多！我们可以尽己所能、如己所愿地让这个过程充实丰富有意义，我们至少可以做到这一点，最多也只能做到这一点。因此，充分地去体验、体会、经历生活和生命的历程，就成为使我们的生命有意义的唯一道路。

在生命的过程中，我们何不自在一点，在等待中自在，在未知中期待。

故事 39

姜太公钓鱼

姜子牙又叫吕尚或吕望。他是个有雄才大略的人，胸怀济世之志，很想施展自己的抱负，可惜一直怀才不遇，大半生在穷困潦倒中过去了。

他曾经在朝歌（今河南淇县）宰过牛，又在孟津（今河南孟津东、孟州市西南）卖过饭，岁月蹉跎，转眼已垂垂老矣。当听说当朝贤主周文王的圣名后，便来到渭水河畔，假垂钓之名来观望时局，希望能得到周文王的赏识，使自己的才华得以施展。

时间一年年过去了，他的头发也由花白变成了全白。

他年复一年、日复一日地在渭水边钓鱼，没有一天例外。在他两膝跪距的石头上，已磨出了两个浅浅的小坑。人们见他一直垂钓，可是用的却是直的鱼钩，而且鱼钩在水面以上三尺。如此钓鱼，当然毫无所获。人们都劝他放弃，他却说："你们不懂其中的奥妙！"依旧天天垂钓。

一天，周文王打算出猎，占卜的结果说："出猎所获不是虎也不是熊，而是能够辅佐您成霸业的人才。"周文王又回想起梦中先人说过的话："圣人出现之日，就是周振兴之时。"

于是，文王满心欢喜地外出打猎，来到了渭水之滨，见到了这位一副超然物外神情的垂钓者，上前与他交谈起来。姜子牙也不失时机地告诉文王自己的身世，两人谈得非常投机。

求贤若渴的文王从姜子牙睿智、机敏的谈吐中发现，此人正是自己所要寻访的大贤。

他高兴地感叹：“我的先祖太公，早就寄希望于你啦！”于是用最隆重的礼节款待他，并亲自赶着马车将他接回京都，从此尊他为先生。

后来，姜太公又辅佐文王之子武王灭纣，武王也尊他为先生。

酷评

有一种人生叫等待

“姜太公钓鱼，愿者上钩。”其实，姜太公要钓的根本就不是鱼，而是周文王。既然最终目标明确，那么其他的细枝末节就都可以忽略不计了。鱼钩是不是直的、有没有鱼饵、会不会有鱼上钩、需不需要听取路人或者好心或者嘲讽的意见……所有的一切都显得那么无所谓了。

夫妻之道也是如此。也许今天你是“姜太婆”，而你嫁的男人就是这位姜太公，丈夫的成功总是显得近在咫尺却又是那么遥不可及。那么你会不会受世俗的影响，而产生一种怨妇心态呢？

还是看看姜太公吧，他抱有坚定的信念，相信自己的选择，却并不刻意追求。他在渭水河边一等几十年，文王可能下一秒立即出现，也可能永远还在路上。然而，姜太公并没有因此而产生过一丝一毫的焦虑或不安。

等待，也是一种人生。

故事 40

烂柯山

晋朝时有个叫王质的樵夫，终日以打柴为生。

一天，他和平时一样去砍柴，想趁着天色还早多劳作一点，就向大山深处走去。也不知道走了多久，就在他又累又渴的时候，无意间发现了一座石头房子。

王质又惊又喜，没想到这样的深山老林里竟然还有人家，不由得前去探看。只见石屋里有一张石桌，围坐着几个童子正聚精会神地下棋。

王质家境贫困，除了下棋，别无所好。他一见桌上那棋阵不同寻常，马上来了兴趣，于是把手中的斧子随手放下，站在一旁看童子们下棋，早把打柴的事忘得一干二净。

过了一会，一个童子给了他一粒形状像枣核一样的东西。他看棋十分专心，也不管什么东西，接过来就吞下，结果站了很久很久，一点也不感到饥饿。

王质看棋入了神，竟忘了时间。

这时另一个童子抬头问他："你来这里好久了，打算永远待下去吗？"

王质这才想起打柴的事，忙四下里寻找自己的斧子，竟然发现扔在脚下的斧子斧柄已经朽烂，刀刃也锈迹斑斑。

王质万分惊异，急匆匆赶回家，发现周围的一切都变了样，家里的亲人早已死光。一打听，才知道自己离家已好几百年了。

王质这才知道自己遇到了神仙，又沿着原路返回山里，拜师修道，过了一百多年后终于成仙升天了。

加强时间观念

山中方一日，世上已千年。

王质以一介凡人之躯跨入了仙人的时区。仙凡之间的差别意味着他无法跨越两者的时差，说白了，仙人仅仅下棋娱乐就用去了我们几代人的时间，王质没有这个资本和他们耗下去。

当然，这只是一个传说故事，用现代科学来分析根本不足信。除非整座烂柯山运行速度接近光速，否则时间又怎能停止？

在现实生活中，时间对于我们每个人都是一样的，上天在这一点上显得相当公平，一个富人的一分钟绝对不会比一个穷人的一分钟多出哪怕一秒。但是，每个人的时间观念却不一样，这才导致了有的人觉得时间不够用，而有的人却又闲得发慌。

与人交往首先就要了解对方的时间观念，并适当地对自己的时间观念进行调整，否则如果由此而造成不必要的误会，就因小失大了。

名人名言

时间就是生命。

——巴尔扎克

时间就是速度，时间就是力量。

——富兰克林

赢得时间的人，就是赢得了一切。

——郭沫若

我们将永远得不到更多的时间，我们拥有，事实上我们老早就有了所有存在的24

小时。

——卡耐基

任何事物都是无法抗拒吞噬一切的时间。

——迪斯累里

时间是无私的，也是无情的，它不为快乐的人、任务繁重的人有所延长，也不为痛苦的人、焦急的等待的人有所缩短。

——泰戈尔

时不可及，日不可留。

——墨子

人若是把一生的光阴虚度，便是抛弃黄金未买一物。

——萨迪

没有人不爱惜他的生命，但很少人珍惜他的时间。

——梁实秋

无端的空耗别人时间，其实是无异于谋财害命。

——鲁迅

世之最可珍重者，莫过于精神；世之最可爱惜者，莫过于光阴。

——李叔同

时间步伐有三种：未来姗姗来迟，现在像箭一般飞逝，过去永远静止不动。

——席勒

时间会刺破青春表面的彩饰，会在美丽的额上掘出深沟浅槽，会吃掉稀世珍宝、天生丽质，什么都逃不过他那横扫的镰刀。

——莎士比亚

时间最不偏私，给任何人都是 24 小时；时间也最偏私，给任何人都不是 24 小时。

——赫胥黎

时间是送给我们的宝贵礼物，它使我们变得聪明，更美好、更成熟、更完美。

——托马斯·曼

时间能使人生色，也能使人毁灭。

——歌德

只有把时间切断的时候，我们才会感到时间的流动和运动。

——米歇尔·比托尔

普通人只是想如何打发时间，有才能的人则设法利用时间。

——叔本华

他们认为我疯了，因为我不肯拿我的光阴去换金钱；我认为他们是疯了，因为他们以为我的光阴是可以估价的。

——纪伯伦

后记

成为“知道”的人

人分四种：不知道自己不知道，知道自己不知道，知道自己知道，不知道自己知道。其实，这也是个人要经历的四个阶段。

如何成为“知道”的人？

我担任大学老师40年，天天“传道授业解惑”，教过的学生数以千计。在与几代学生朝夕相处中，充分了解年轻人的所思所想，常常讲述一些经典故事来引导学生更新观念，也曾出版过十多本故事书，并欣喜地看到，我们的故事被一些知名企业用于内部培训。

通过对毕业生的追踪调查，发现在社会上成长得最好的那部分毕业生，大多不是学校里面传统意义上的好学生，由此引发深入思考。究其原因，不仅仅是智商与情商问题，更在于深层次的认知与观念水平。

为引领当今的年轻读者在最短时间里迅速更新观念，走上成功道路，开创全新人生，我们精选了古今中外的经典故事，从故事的文化背景看，有东方的与西方的故事；从故事的内容看，有禅宗的、道家的，以及幽默故事等。与一般故事书不同，每则故事后面都有详细解读，引发思考。

如今的这套“人生360度·一分钟经典故事”，包括《不知道自己不知道》《有一种人生叫等待》《没有上锁的门》《只有一根柱子》《画好自己的底线》《宽容是件奢侈品》6本。除了故事，除了酷评，我们还汇集了相关的名人名言，配以读者喜闻乐见的漫画。我们希望通过这些内容，揭示人生智慧，传播现代观念，让每一位读者成为“知道”的人。我们坚信：更新观念，是走向成功的必由之路。

在此，感谢参与丛书编写的陈鸣、戴旻理、金怡、金婕、陆雅茹、徐蕾蕾、马骏骥等合作者，尤其要感谢漫画家、篆刻家潘方尔先生与上海辞书出版社文化读物编辑室主任朱志凌先生。

康桥写于 2024 年开学季

图书在版编目(CIP)数据

有一种人生叫等待 / 康桥编著；潘方尔绘. 上海：上海辞书出版社，2024. —(人生 360 度：一分钟经典故事). —ISBN 978-7-5326-6266-1

Ⅰ. I14

中国国家版本馆 CIP 数据核字第 2024V74H40 号

人生 360 度 · 一分钟经典故事

有一种人生叫等待

康 桥 编著 潘方尔 绘

策划统筹 朱志凌　　**书名篆刻** 潘方尔
责任编辑 朱志凌　　**图片编辑** 洪 文
文字编辑 李婉青　　**整体设计** 零贰壹肆设计工作室
技术编辑 楼微雯

出版发行 上海世纪出版集团
上海辞书出版社®(www.cishu.com.cn)
地　　址 上海市闵行区号景路 159 弄 B 座(邮政编码:201101)
印　　刷 浙江经纬印业股份有限公司
开　　本 787 毫米×1092 毫米　1/32
印　　张 6
字　　数 75 000
版　　次 2024 年 9 月第 1 版　2024 年 9 月第 1 次印刷
书　　号 ISBN 978-7-5326-6266-1/I · 591
定　　价 39.80 元